Objetivos de la lección

El objetivo de esta lección es lograr que el alumno asimile el concepto de alimentación natural o saludable. Puesto que la lista de alimentos disponibles es inmensa, hemos incluido tablas y diferenciaciones muy claras para que usted mismo pueda evaluar la calidad de un alimento en poco tiempo.

También se incluyen los nutrientes básicos de la alimentación como el agua, la sal y el azúcar, analizando las diferentes manipulaciones que las personas y las empresas efectúan sobre ellos, habitualmente de manera inadecuada.

TEMA 1

2. TABLA DE ALIMENTOS MÁS SALUDABLES

Evolución es el desarrollo de las cosas y organismos, por medio del cual pasan gradualmente de un estado a otro. Todas las especies y los organismos vivientes están sujetos a esta ley natural mediante la cual se adaptan a las **circunstancias adversas** y mejoran su propia especie.

El ser humano es una más entre las especies pero en la escala evolutiva ocupa un lugar de privilegio, pues su adaptación al medio ha superado a cualquier otra.

Por ello, cuando queremos tener claro el concepto de alimento saludable para el ser humano debemos repasar nuestra propia escala evolutiva, pues simplemente con estos datos conseguiremos definir qué alimento es *natural* para nosotros, y cuál desaconsejable.

Para simplificar, el alimento más saludable, aunque ello no implique el más sabroso, es aquel que se encuentra más alejado de nuestra posición en esa escala de la evolución de las especies.

Preste especial atención a los siguientes puntos (los primeros puestos son los alimentos más perjudiciales):

ALIMENTOS PROCEDENTES DE PRIMATES

Como son los orangutanes, monos y gorilas, además del hombre. Aunque en occidente no se consuman alimentos procedentes de ellos, suelen ser comida habitual en otros lugares. Los *sesos de mono* y las *glándulas de gorila* constituyen un manjar en ciertas regiones de Asia y África, por mucho que nos escandalice.

Respecto a la carne humana, la historia y los pueblos han condenado siempre el *canibalismo*, no sin razón. Incluso la costumbre de comerse a los recién fallecidos es práctica reprobable en todo el mundo, no por cuestiones éticas ni religiosas, sino porque los curanderos de entonces sabían ya la incompatibilidad que existía al comer alimentos similares a nuestra composición orgánica.

ALIMENTOS PROCEDENTES DE MAMÍFEROS

Principalmente la vaca, la oveja o el caballo. Son muy parecidos a nosotros en cuanto a que tienen mamas y un período de gestación similar, por lo que al ocupar el segundo lugar **no se deberían comer**, ni ellos ni los subproductos que generen. No existen diferencias en cuanto al sexo del animal, ya que tan perjudicial puede ser comer carne de vaca, como de toro, buey o ternera. El mal no está solamente en la cantidad de grasas que su carne contenga, sino en la procedencia, aunque puestos a valorar la calidad del alimento el mal será menor en la medida en que exista menos cantidad de materia grasa, al ser éste el alimento más difícil de digerir.

Por este mismo motivo, siempre será más perjudicial un trozo de *tocino o panceta* que una *morcilla*, valgan como ejemplo.

El *mal de las vacas locas* es un ejemplo más de la ignorancia del ser humano, al pretender convertir a un rumiante en un carnívoro. En el caso de las vacas la insensatez llegó al paroxismo al hacerle comer al animal miembros de su propia especie, en un intento demencial de convertirles en caníbales. Y esto, en un rumiante, es altamente incomprensible.

La parte más perjudicial de la carne de mamíferos es su alto contenido en grasas saturadas

ALIMENTOS QUE ELABORAN LOS MAMÍFEROS

Especialmente la **leche**, así como ciertas partes de ellos que no contienen carne, como ocurre con los huesos o la piel. Respecto a la leche de vaca, el alimento estrella para muchos expertos, debemos decir que es vital para los cachorros y terneros de esos mamíferos, pero no para el hombre.

El bebé humano debe consumir **leche de su madre**, no de un animal, por muy *"maternizada"* que nos la presenten. Una vez que la naturaleza retira la leche a la madre, el destete, el niño debería sustituir este alimento por otro igual de nutritivo, como por ejemplo los cereales.

La leche, por tanto, es **para los bebés**, pues los adultos carecemos de una enzima del aparato digestivo (también renal) llamada *renina*, la cual está presente en los niños y apenas en los adultos, manifestándose también cierta intolerancia a la lactosa.

En cuanto a los alimentos lácteos, **queso, yogur, kéfir**, al intervenir en su elaboración y fermentación ciertos microorganismos, se transforman ya en un alimento saludable y se pueden y deben consumir sin problemas.

ALIMENTOS PROCEDENTES DE LAS AVES DE CORRAL O SALVAJES

Son el primer eslabón apto para el consumo humano y aunque no constituyen el alimento ideal se pueden tomar con moderación, lo mismo que sus productos. No obstante y como se ha demostrado en los trasplantes, ni siquiera los músculos procedentes de ellos están libres de producir rechazos, por lo que en primer lugar deberíamos concentrarnos en comer sus huevos, bastante más saludables que la carne. En ciertos países es muy apreciada la **carne de avestruz**.

Siempre es más saludable la carne de ave que la de mamífero

MAMÍFEROS PROCEDENTES DEL MAR

Básicamente la **ballena,** el **delfín** y la **foca**. Suponen un salto a una escala diferente en nuestra evolución, ya que cuentan con caracteres similares y hasta un comportamiento depredador y familiar parecido, aunque el hecho de vivir en un medio diferente al nuestro les hace más aptos para nuestro consumo. No obstante y como quiera que son especies protegidas y existen otras alternativas para comer, evite consumirlos si puede.

REPTILES

Tienen alguna similitud orgánica con los humanos pues poseen *pulmones*, pero que no son aptos para el consumo. En este aspecto, la maldición bíblica que pesa sobre ellos no es una casualidad, ni fruto de la imaginación, orientándonos desde hace milenios para que no los comamos. Otros animales no venenosos, como la **tortuga marina**, se pueden comer, lo mismo que sus huevos.

GUSANOS

Es posible que la sola mención de ellos le resulte desagradable pero hay quien los come, ya sea procedentes de la tierra o del mar. Si los come por error no se preocupe, no le pasará nada, aunque algunas especies pueden desarrollar los huevos en su intestino.

ANFIBIOS

Su consumo es más una moda exótica que una necesidad, por lo que no constituyen motivo de estudio serio y los puede comer si su paladar se lo permite. Entre ellos tenemos a las **ranas, sapos** y los batracios como las **salamandras**.

PECES EN GENERAL

Son el mejor sustituto de la carne de mamíferos y no aportan ninguno de sus inconvenientes, salvo que se **estropean** con velocidad de relámpago. Los puede consumir congelados y hasta crudos si es su gusto, pero tenga en cuenta que las **proteínas** solamente se digieren cuando se coagulan y para ello la acción del calor es la mejor solución. El **pescado azul**, de mar o río, es mucho más nutritivo que el blanco, aunque se debe tomar en menor cantidad. Como peces más saludables tenemos al salmón, la trucha, la caballa, el atún y el bonito.

Los pescados azules son más nutritivos y saludables, aunque no todo el mundo los tolera bien

MOLUSCOS

Entre ellos los **caracoles marítimos,** las **ostras,** las **almejas** y **mejillones**, así como los **cefalópodos, pulpos** y **calamares**.

Empiezan a estar tan alejados de nuestra escala evolutiva que son muy adecuados para la alimentación y no suelen dar rechazos ni intolerancias por su ingestión, siempre que se consuman sanitariamente frescos. Nos proporcionan abundancia de proteínas y sales minerales.

CRUSTÁCEOS

Como los **cangrejos** (de mar o río), las **langostas** o las **gambas**. No es una casualidad que la naturaleza les haya dotado de una coraza protectora y quizá nunca debieran ser un manjar para ricos o sibaritas de la cocina. El hecho de que sean muy caros no les otorga mayor calidad nutritiva que a una **patata**, por ejemplo. Si le sobra el dinero y tiene suficiente tiempo para pelarlos, no hay inconveniente en que los coma ya que no son perjudiciales, salvo en gran cantidad.

INSECTOS

No se horrorice si hablamos de los insectos como fuente alimentaria para el hombre, ya que quizá, en un futuro, constituyan la mejor y más abundante despensa para nuestros descendientes.

Salvo excepciones, cada insecto posee en su interior todos los nutrientes esenciales para la vida, sin faltar uno solo. Que le resulten agradables o no es otro asunto, pero quede claro que se pueden comer, salvo las **arañas** y **escorpiones**, artrópodos nada recomendables.

Tampoco son aptos para el consumo humano coleópteros como los escarabajos y la cantárida (utilizado como afrodisíaco), aunque en épocas de penuria y aislamiento han sido alimentos que han logrado mantener con vida a presos y habitantes de las cavernas.

Capítulo aparte están ciertos productos elaborados por las abejas, como la **miel,** el **polen** y la **Jalea real**, los cuales son un alimento de extraordinario interés para el hombre y que gozan de buenas propiedades curativas.

Otros insectos, como la mosca, no se consideran alimento válido para el hombre. Las abejas nos aportan algunos de los alimentos considerados como milagrosos

ZOOPLANCTON

Se trata del conjunto de organismos animales y vegetales que flotan y son desplazados pasivamente en aguas saladas o dulces. Es el producto formado por animales marinos y aunque todavía no constituye un alimento generalizado, son la **gran reserva** para los seres vivos.

ALGAS

Provistas de clorofila, ya no son el **alimento perfecto** del futuro sino del presente, especialmente cuando el hombre deje de emplear grandes esfuerzos para mantener y comer animales terrestres en lugar de recoger las algas del mar, sin cultivo ni grandes costes económicos.

Existen las variedades pardas, verdes y rojas, así como de procedencia marina, río o lago. Contienen un 50% de su peso en **proteínas** de un **valor biológico** superior a la carne, además de **grasas, vitaminas y minerales**, tan concentrados que con poca cantidad de alimento cubrimos nuestras necesidades. Se podrían obtener sin esfuerzo hasta *cien mil millones de toneladas al año*, cifra muy superior a la de los vegetales. Las algas de agua dulce tienen mejor sabor, son más nutritivas, pero al ser de menor tamaño son más difíciles de extraer y algo más caras.

Aunque las algas son un alimento idóneo para el hombre, aún no se ha encontrado un modo sencillo para cocinarlas

VEGETALES

Su valor como alimento es igual al de las **algas marinas** aunque, como contrapartida, requieren mucho trabajo tanto en la siembra, como en el cuidado y recolección. Son casi **el alimento perfecto** para el hombre, aunque se necesita mezclarlos entre sí para conseguir todos los nutrientes necesarios.

Se pueden consumir **crudos** o manipulados, y su **tolerancia gástrica** es excelente lo mismo que el sabor, admitiendo toda clase de mezclas y son capaces incluso de **curar** la mayoría de las enfermedades del hombre.

No es cierta esa creencia de que los vegetarianos están anémicos, pues las personas que eligen voluntariamente comer solamente productos de la tierra suelen tener una cultura alimentaria muy superior a la media y no cometen errores en su alimentación.

Si su elección es consumir solamente los productos de la tierra es una elección sabia, pero procure que sean **integrales** o al menos poco manipulados. Lávelos bien para eliminar los tóxicos ambientales y cómalos **crudos** o **poco cocinados**. Salvo con algunos alimentos como las **espinacas**, no tire nunca el agua de la cocción y añada un poco de sal para que se cocinen mejor.

SEMILLAS

Son el **alimento perfecto** para la mayoría de los seres vivos, incluido el hombre. Contienen todo lo necesario para la vida, no son necesarias grandes cantidades para alimentarnos, se desarrollan al abrigo de la contaminación ambiental, se conservan durante largas temporadas sin deteriorarse y se pueden comer enteras, sin manipulación ni cocción alguna.

Cualquier ser humano podría **sobrevivir** perfectamente a partir de semillas. El **polen** y las semillas de casi todas las **flores** y **frutas**, solamente requieren una buena masticación o trituración previa para que se digieran y absorban en su totalidad.

TEMA 2

NUTRIENTES BÁSICOS

2.1. EL AGUA

Este elemento, el segundo en importancia para la vida, no es valorado lo suficientemente por las personas, ni en ocasiones por los médicos, pues con frecuencia es sustituido por **leche, zumos** o **caldos** que, aunque igualmente saludables, no pueden aportar las virtudes imprescindibles que el agua posee.

La obsesión por perder peso es tal que numerosas personas suprimen el agua en un intento de quitarse los kilos que le sobran y para ello recurren no solamente a dejar de beberla en las comidas, sino a tomar **diuréticos** para eliminarla, **saunas** para sudar, **fajas** antitranspirantes para quitarse celulitis y mil tonterías más. El daño tan tremendo que estas modas están causando a la población no ha sido justamente valorado, e incluso hay quienes siguen diciendo que el agua en las comidas no es recomendable porque disuelve los ácidos de la digestión y que no es malo si la sustituimos por **vino** o **leche**. Lo cierto es que cualquiera que sepa la composición de los jugos gástricos (bilis, ácido clorhídrico, enzimas, etc.) se dará cuenta de que el agua no disuelve nada y que su presencia es imprescindible para asegurar un bolo alimenticio suficiente, así como para lograr que se realice el tránsito intestinal de manera adecuada.

El vino nunca debería sustituir al agua en las comidas.

> Nuestro cuerpo contiene hasta un 75 por 100 de su peso en agua y su función principal es mantener en suspensión los enzimas y demás sustancias orgánicas de las células. Cualquier reacción metabólica se desarrolla en presencia de agua, en la cual se encuentran suspendidos elementos subcelulares, entre ellos las mitocondrias, los ribosomas y el núcleo.

Al ser componente esencial de la sangre, el agua transporta todos los **nutrientes básicos** desde el intestino hasta cualquier lugar del organismo, así como el **oxígeno** combinado con la hemoglobina.

Los productos de desecho producidos por el metabolismo son transportados por el agua, pasando primeramente por el hígado para ser de nuevo neutralizados, terminando en los riñones desde donde serán evacuados al exterior. Solamente algunos componentes, como es el caso de las **proteínas sanguíneas** y las **enzimas**, vuelven a ser recuperados siempre y cuando no exista un exceso de ellos, como puede ser una abundancia de vitaminas, minerales o glucosa.

Este reciclaje de sustancias útiles es muy perfecto, aunque para ello es necesaria la presencia adecuada de agua y una buena función renal.

Regulador de la temperatura

El agua es nuestro regulador perpetuo de la **temperatura** y sin ella la producción de calor a causa de la combustión de los alimentos nos abrasaría en pocos minutos.

Por este motivo hay que tener cuidado en no dar alimentos pobres en agua a personas debilitadas o desnutridas y mucho menos a las que tienen fiebre, ya que las concentraciones de elementos sólidos en el organismo aumentarían grandemente con el peligro de su vida. Cuando una persona come poco, al menos que no le falte el agua, así estará asegurando su mecanismo de termorregulación y su temperatura será estable.

En presencia de fiebre, el mejor medicamento es el agua

Transpiración

La transpiración es un mecanismo autónomo mediante el cual eliminamos agua continuamente y así contribuimos a **depurar** el organismo a través de la piel.

Cuando es muy abundante la denominamos **sudoración**, que es un fenómeno a estimular y mantener, nunca a eliminar.

Si a causa de problemas internos la sudoración es muy abundante (habría que averiguar la causa), deberemos administrar **más agua** pero rica en **sales minerales**, con el fin de que se fije en el plasma y no sea eliminada con tanta rapidez a través de la piel.

En este sentido, las **aguas de mesa** *pobres en sodio* no son una bebida saludable, aunque la publicidad insista en que "*aligeran*".

Esta pobreza en el elemento básico del agua, el **sodio**, las hace menos recomendables para los niños, pues la carencia de minerales la aproximan mucho al agua de lluvia o a la nieve, tan puras que no son aptas para el consumo humano. El agua, para que sea **saludable**, debe filtrarse a través de la tierra, absorbiendo así los **minerales**, y emplearse preferentemente cuando sale a través de las **fuentes** naturales.

Presencia en los alimentos

Afortunadamente para aquellas personas que no les agrada el agua, la casi totalidad de los elementos nutrientes contienen agua y así, por poner un ejemplo, la **carne** contiene un 60 por 100 de agua, el **pan** un 30 por 100 y las **frutas** un 90 por 100. La **leche** un 87 por 100 y el **queso** un 40 por 100. En el lado opuesto, las **almendras** solamente contienen un 5 por 100 y el **aceite de oliva** prácticamente nada.

Otra manera de obtener agua es a través del metabolismo, ya que tanto los **hidratos de carbono** como las **proteínas** se oxidan y producen dióxido de carbono y agua, eliminándose ambos por la respiración. Este principio es el que permite al dromedario vivir largos días sin agua en un ambiente seco, ya que en su joroba almacena mucha grasa, la cual al oxidarse produce agua.

Cuanto más sólido sea el alimento que comamos, más agua hay que beber

Regulación interna

Nuestro organismo suele avisarnos mediante la **sed** de su carencia en agua, aunque en ocasiones este aviso a veces no aparezca y no sea suficiente fiarse de él. Diariamente nuestro organismo necesita eliminar las sustancias de desecho, sea en invierno o verano, y es posible que en momentos de mucho frío o en ambientes húmedos no aparezca la sensación de sed y creamos que no es necesario el agua.

Por ese motivo, la cantidad mínima de agua que habría que beber, independientemente de los alimentos que comamos, debiera ser de **un litro** al día, aunque las recomendaciones actuales llegan a los **dos litros** diarios en circunstancias normales. Por supuesto, en verano y en ambientes calurosos o cuando hagamos deporte, se impone beber hasta **cinco litros** al día.

Una práctica altamente **peligrosa** es tomar una sauna **después** de realizar ejercicio, ya que a las pérdidas de líquido y sales minerales del esfuerzo habría que sumar posteriormente la eliminación forzada mediante la **sauna**, lo que provocaría sin lugar a dudas una deshidratación que, aunque momentánea, puede dar lugar a problemas serios. A corto plazo suelen darse lipotimias, y de continuar esta práctica aparecerán fenómenos de cristalización de los residuos disueltos y su depósito en articulaciones, tejidos o riñones. Las consecuencias ya se saben: cálculos renales, artritis, etc.

Deshidratación

La falta de agua en nuestro organismo es algo patente en la mayoría de las personas, lo cual no nos extraña dada la gran cantidad de refranes que existen hablando mal de ella, entre ellos los que la recomiendan solamente para lavarse o para los peces.

Así como la mayoría de las enfermedades degenerativas están producidas por una **dieta** errónea, la carencia de agua acrecienta estos problemas, ya que es el único medio de que dispone nuestro organismo para eliminar tanta cantidad de **tóxinas**.

La mayoría de las personas que manifiestan no beber agua casi nunca, están deshidratadas aunque no lo perciban

Las **proteínas** necesitan diluirse en agua para poderse metabolizar y los **hidratos de carbono** producen gran cantidad de calorías que por fuerza deben ser enfriadas después con agua. Por tanto, la piel **deshidratada** es una consecuencia directa de la falta de agua y ninguna crema grasa ni hidratante puede corregir lo que es solamente una deshidratación. Si nuestro deseo es mantener la piel tersa hay que beber **más agua**, no hay otro remedio más eficaz y sencillo... ni barato.

Necesidades individuales

Para saber si bebemos el agua necesaria no hay más que fijarnos en la cantidad de **orina** que expulsamos, la cual nunca debiera ser inferior a medio litro diario.

Lo saludable sería **un litro**, pero esto solamente lo logran aquellas personas que siguen un régimen vegetariano bien llevado.

Mediante los alimentos ingerimos por término medio 1,400 litros y en las bebidas quizá un litro. Si tenemos en cuenta que la cantidad a eliminar correcta sería un litro por **orina**, 0,150 por las **heces**, 0,450 por la **transpiración** y 0,300 por la **respiración**, nos daremos cuenta de la facilidad para acusar carencia de agua.

Las pérdidas de agua pueden aumentar cuando el ambiente es muy **seco**, cuando estamos a gran **altura** sobre el nivel del mar, o en tiempo tan **frío** que incluso el vapor atmosférico se ha congelado. En esas circunstancias, nuestro organismo se ve forzado a eliminar aire caliente y húmedo, lo que aumentará las necesidades de agua, por más que el ambiente exterior nos haga creer lo contrario.

El mejor alimento diurético es la sopa de apio

Diuréticos habituales

Otra manera de eliminar agua es mediante el consumo de productos o bebidas que estimulen la función renal, entre las cuales están el **té** y el **café,** así como cualquier otra bebida que contenga **cafeína**. Los **espárragos** son un ejemplo claro de alimento diurético, al cual podemos recurrir cuando queramos eliminar más líquidos de los normales, como es el caso de ingestión excesiva de tóxicos o proteínas.

La diuresis forzada puede ser muy útil si está bien controlada, ya que así depuramos el organismo, pero no hay que olvidar beber agua después para compensar estas pérdidas.

El **alcohol**, a pesar de contener agua, no es un medio para apagar la sed sino todo lo contrario y prueba de ello son los efectos de la resaca, durante la cual se siente una gran necesidad de agua a causa del gran consumo de alcohol (y, por tanto, de calorías) que hemos bebido antes. Los alcohólicos, por tanto, suelen ser personas perennemente **deshidratadas**, ya que mitigan su sed con un nuevo consumo de alcohol, en la creencia de que su apetencia imperiosa de alcohol está producida por la drogadicción, cuando la mayoría de las veces es solamente una necesidad de agua lo que su cuerpo requiere.

Si es usted una de esas personas que le gusta beber y dice que no puede evitarlo, la próxima vez cambie su vaso de **vino** por uno de **agua**; su síndrome de abstinencia desaparecerá pronto.

Deshidratantes

El **aire acondicionado** también es un factor más que contribuye en verano a que la gente padezca sed crónica, ya que **absorbe humedad** y llega a resecar el ambiente extraordinariamente. Para comprobarlo no tiene nada más que conectar su aparato en invierno cuando los cristales de su cuarto de baño estén empañados de vapor. Al cabo de pocos minutos el vaho habrá desaparecido, tal es la apetencia de humedad del aire acondicionado.

Si, además, de trabajar usted en un ambiente acondicionado suele beber **café** o **alcohol**, estará condenado a una pequeña **deshidratación** continua y peligrosa. No se extrañe pues si padece con frecuencia de **cálculos renales**, **hipertensión arterial**, **varices** y piel con **arrugas** prematuras. Y si aún esta deshidratación no le parece suficiente póngase todos los días de sus vacaciones a tostarse bajo el **sol**. Si así lo hace, los fabricantes de cremas antiarrugas se seguirán haciendo ricos con personas como usted.

Las arrugas prematuras son casi siempre una señal de poca ingesta de agua

Otros errores

También existen otras maneras de padecer falta de agua, como es el hecho de dar a los lactantes **leches** preparadas con una concentración de polvo mayor de la recomendada, por aquello de que le alimente más.

También deshidratan las **papillas** muy concentradas, los sobres de **concentrados de proteínas** disueltos en poco agua o beber **zumos muy concentrados** sin restos de fibra (la cual evita que el líquido se expulse rápidamente.)

Otras causas son ponerse prendas con **tejidos sintéticos** que no transpiran y usar productos para impedir eliminar el sudor por las axilas y los pies, las dos partes de nuestro organismo más importantes en eliminación de líquidos.

Una advertencia, si tiene sed no beba agua de **lluvia** o de **nieve**, su pobreza en sales minerales es total y no son asimiladas adecuadamente por el ser humano.

Agua y deporte

El agua es también imprescindible para lograr buenas marcas deportivas y no puede ser sustituida por ningún otro líquido, mucho menos si éste contiene **alcohol**, como es el caso de la **cerveza**. Sin la presencia del agua el organismo del deportista se ve imposibilitado para eliminar la gran producción de calor generada y tanto el proceso **energético** como el **depurativo**, se ven seriamente afectados.

Hay que beber agua abundantemente **antes** del ejercicio, **durante** éste si es muy prolongado (pero ahora con una pizca de sal) y **después** para reponer las pérdidas de sales. No existe inconveniente en que los deportistas tomen suplementos de minerales para cubrir sus pérdidas por el sudor, pero hay que tomarlos muy diluidos en agua y para ello hay que seguir al pie de la letra las recomendaciones de sus fabricantes o incluso añadir el **doble** del agua recomendada.

La temperatura del agua para beber es mejor que sea ambiental y **nunca con hielo**, ya que la absorción se realiza peor cuando está demasiado fría. También es útil realizar previamente algunos **enjuagues** por la boca antes de tragársela, ya que así la ponemos a la temperatura corporal y comenzamos a absorberla a través de la mucosa bucal.

Se debería beber agua incluso durante los ejercicios, aunque con un poco de sal

Aquellos deportistas que tienen por costumbre mitigar la sed mediante jarras de **cerveza** o vasos de **vino**, deberían saber que de esta manera acrecientan su problema, ya que el alcohol bloquea la liberación de la **hormona antidiurética**, HAD, la cual es imprescindible para regular la cantidad de agua corpórea y la proporción de sales minerales.

Aguas minerales

Las aguas minerales embotelladas suelen contener quizá una mayor riqueza de **elementos nutritivos**, pero lo más probable es que no sean mejores que la simple agua del grifo, ya que ésta procede del agua de río el cual, en su recorrido, recoge muchos más **minerales** que el agua de manantial.

De todas maneras, es difícil creerse que puedan existir tantos manantiales como para llenar tantos millones de botellas de **agua mineral**.

El único problema que nos puede hacer rechazar el agua corriente es su contenido en **cloro**, cuando es excesivo, así como las llamadas aguas **fluoradas**, en un intento de frenar la incidencia de caries. Esta última costumbre parece que va en declive, ya que la caries infantil sigue en aumento y, además, los efectos tóxicos del **flúor** empiezan ya a manifestarse en organismos debilitados y en los ancianos.

Cuando nos veamos en la necesidad de beber agua de dudosa procedencia lo mejor es mezclarla con **arcilla** y filtrarla después, ya que el tremendo poder bactericida de la arcilla elimina la mayoría de las bacterias **patógenas** de manera similar al **cloro**, el cual no está exento de peligro.

Añadir una gota de lejía por litro de agua es otra práctica recomendada por las autoridades sanitarias cuando la salubridad del agua no está asegurada, pero solamente deberemos recurrir a ella cuando no tengamos arcilla a mano.

Agua del mar

El agua marina es rica en **cloruro sódico**, **yodo**, **magnesio** y ciertos elementos biológicos muy diversos, por lo que en principio no tiene porqué ser perjudicial si la bebemos. El problema es que la concentración tan alta de cloruro sódico provoca posteriormente una deshidratación mayor, lo que con seguridad lleva a la muerte. De todas maneras, se puede sobrevivir bebiendo pequeñas cantidades de agua de mar, debidamente espaciadas.

Hervir el agua

Otra costumbre muy extendida es hervir el agua que vamos a añadir a los biberones de los bebés, en un intento de suministrarle agua bacteriológicamente pura. Está tan extendida esta costumbre que hasta existen hervidores fabricados para tal fin, los cuales son recomendados por pediatras y farmacéuticos.

Pero este hábito quizá tuviera su razón en épocas de guerra o hace cincuenta años cuando el agua no era tan potable como ahora, pero en la actualidad es un sin sentido que causa más daño que bien.

El agua hervida pierde por **evaporación** las sales más volátiles, así como el **oxígeno**, y llega a tener unas características similares al agua de **lluvia** o **hielo**, la cual todo el mundo está de acuerdo en que no se puede consumir, ya que no se absorbe y da lugar a retortijones abdominales.

Batir el agua, oxigenarla, antes de dársela al niño, restituirá en parte su contenido en **oxígeno**, pero no así en sus **sales minerales** originales, cuya carencia dará lugar a un sinfín de trastornos digestivos entendidos como gases, eructos, que los padres tratarán de mitigar administrando manzanillas o anises... elaborados con agua hervida.

Hervir el agua potable del grifo es una práctica innecesaria y, en ocasiones, perjudicial

Ningún niño tiene las defensas tan empobrecidas como para que su vida esté en peligro si toma agua del grifo pero, aunque así fuera, hervir el agua no serviría apenas para nada, ya que el E. Coli (la bacteria más presente en el agua) no se muere con facilidad y son necesarios **veinte minutos** de hervor para destruirla.

2.2. EL AZÚCAR

La desafortunada presencia en los mercados del **azúcar blanco**, así como su uso generalizado en **pastelería**, **bollería** y **refrescos**, ocasiona ya un daño en la población que abarca a varias generaciones.

Como una campaña publicitaria decía hace algunos años, nuestro organismo necesita azúcar (habría que hablar con más exactitud de glucógeno), aunque no precisamente ese azúcar blanco que nos venden.

Para saber un poco más sobre el azúcar, mencionaré primeramente las diferentes formas en que la naturaleza nos la presenta, pues existen grandes diferencias entre el azúcar blanco, el **azúcar moreno** y **la miel**, así como la que está presente en las **uvas**, los **dátiles** o la **remolacha**, por poner algunos ejemplos.

Diferentes tipos de azúcar

Azúcar moreno

(cantidad en 100 gramos)

Calorías: 356

Proteínas: 0,4

Grasas: 0,5

H. de carbono: 90,6

Calcio: 51

Fósforo: 44

Hierro: 4,2

Vitamina B1: 0,02

Vitamina B2: 0,11

Niacina: 0,3

Vitamina C: 2

Azúcar refinado

Calorías: 384

Proteínas:0

Grasas: 0

H. de carbono: 99,1

Calcio: 5

Fósforo: 1

Hierro: 0,1

Vitamina B1: 0

Vitamina B2: 0

Niacina: 0

Vitamina C: 0

Miel de abeja

Calorías: 306

Proteínas:0,2

Grasas: 0

H. de carbono: 78,0

Calcio: 20

Fósforo: 16

Hierro: 0,8

Vitamina B1: 0,01

Vitamina B2: 0,07

Niacina: 0,2

Vitamina C:3

En la presente tabla se ven ya las grandes diferencias entre los tres nutrientes y eso que no están incluidas todas las sustancias que contienen, pues se han excluido los **oligoelementos** y **enzimas**, así como una larga serie de sustancias sin capacidad nutritiva conocida pero que le confieren propiedades muy interesantes como medicamento.

Azúcar refinado

El azúcar refinado hay que considerarlo casi un producto químico a pesar de que sea un elemento calórico y que su procedencia sea natural. Este mismo ejemplo sirve para el vino, originariamente procedente de la uva, pero que cuando el ser humano lo somete a manipulación lo transforma en un elemento, al menos, no natural. La sacarosa está presente en cantidades limitadas en muchas plantas, incluso en varias palmas y en el arce de azúcar, pero la remolacha azucarera y la caña de azúcar son las únicas fuentes importantes para el comercio.

PROCEDENCIA

Sacarosa de la caña de azúcar

Una vez cosechados, los tallos de la caña de azúcar se separan de las hojas, machacándose y triturándose entre rodillos dentados para extraer un jugo que será rociado con agua caliente con el fin de disolver cualquier azúcar restante.

El material restante aún sólido llamado bagazo se seca y es usado como combustible, mientras que al jugo extraído se le añade cal y se le somete a ebullición.

El azúcar moreno que nos venden no es integral, aunque conserva mejores propiedades que el blanco

La manipulación

Con este proceso se eliminan los ácidos orgánicos indeseados (de extraordinarias propiedades curativas) y el resto de las impurezas sólidas, momento a partir del cual se le trata con dióxido de azufre gaseoso para blanquearlo y se le pasa por prensas filtrantes.

A continuación, el jugo se evapora en un vacío parcial, pasando a calentarlo hasta formar un jarabe espeso que contiene los cristales de azúcar.

Melaza

Este jarabe resultante se centrifuga y a través de unos orificios pequeños sale a presión la melaza, aún de color amarillento o castaño, considerándose ya como azúcar en bruto. Este azúcar se rocía de nuevo con agua para extraer la espesa melaza que aún queda adherida a los cristales y que le otorga el color castaño, pasando luego al siguiente proceso de blanqueado.

Blanqueado final

El producto obtenido aún tendrá que ser manipulado de nuevo, pues es hervido para evaporar cualquier resto de la preciada melaza y lograr con ello la cristalización de este líquido. En la refinería, el azúcar en bruto se disuelve de nuevo, se decolora (ignoro cómo lo hacen) y se vuelve a cristalizar con el tamaño deseado. Cuando, por fin, se consigue, el proceso ha finalizado y el resultado es ese alimento tan blanco y limpio que todos conocemos.

Pero como los fabricantes son conscientes del valor nutritivo de esa melaza que tanto empeño pusieron en eliminar, la recogen adecuadamente y con ella fabrican etanol, ron, jarabe de mesa, condimento para los alimentos, y comida para los animales de granja.

Sacarosa de la remolacha azucarera

El azúcar que se obtiene de las raíces de la remolacha azucarera es la fuente principal de azúcar para la mayor parte de Europa y se cultiva extensamente en Rusia, Ucrania, Alemania, Francia y Polonia, siendo sus mayores productores Brasil, Cuba, Kazajstán, México, India y Australia.

El proceso de elaboración es similar al de la caña de azúcar, pues después de quitar las hojas y los tallos, las raíces se cortan en briznas y se trituran para extraer el jugo y apartar la pulpa. Después de la extracción, se le añade cal al jugo, continuando con el proceso de blanqueado que antes mencionamos.

Blanquear el azúcar es una práctica irracional que nos ocasiona daños a la salud

Problemas ocasionados por el refinado del azúcar

Para metabolizar la sacarosa presente en el azúcar blanco se necesita la presencia de la vitamina B1 y el calcio, dos componentes que se encuentran en el azúcar moreno en la cantidad necesaria para cumplir esa función.

El déficit de vitamina B1, ocasionado por el aumento en la demanda orgánica, es más importante en verano a causa de las pérdidas de sudor y el consumo de helados y refrescos azucarados. Ello produce una serie de trastornos del sistema nervioso, como depresión, pinchazos difusos, hormigueos, tics o palpitaciones, que nunca serán atribuidos a un exceso de azúcar refinado y serán tratados con el nombre de "nerviosismo".

La universal caries

La caries es otro de los problemas más extendidos mundialmente y cuya causa parece aún no estar clara, aunque se habla de alteraciones en la flora bacteriana, acidez bucal y sarro dental como algunas de las causas más reconocidas. También se consideran factores determinantes la carencia de flúor, calcio y consumo de azúcares.

Lo cierto es que ni los dentífricos con flúor, ni las revisiones periódicas al odontólogo, ni la alimentación más abundante, han solucionado el problema, pues los niños siguen teniendo caries casi igual que antes. La verdadera causa, el abuso de los azúcares refinados, no parece ser tenida en cuenta, aunque es la causa más directa.

Los dulces azucarados poseen una capacidad de adherencia al diente muy alta y esto motiva que se genere una gran acidez, en primer lugar, y posteriormente el desarrollo de una flora bacteriana patógena.

Ahí comenzaría el proceso de alteración del esmalte dental, el cual se agravaría por la poca afinidad del calcio para fijarse en el diente. A partir de entonces, una serie de trastornos en cadena se vendrían a sumar a los dentales: intolerancia a la glucosa, obesidad, estreñimiento, acidez de estómago, etc.

Un hecho que parece no ser tenido en cuenta es que las personas vegetarianas no suelen padecer falta de calcio y que la caries es más habitual en gentes que residen en las ciudades, consumidoras de productos refinados, que las que viven en zonas rurales.

Incluso los perros y animales de compañía domésticos también padecen caries si consumen los alimentos sobrantes de sus amos. Lo curioso del caso es que, siendo el azúcar un elemento energético, sus consumidores habituales no suelen poseer mayor resistencia al ejercicio que quienes no gustan del azúcar y, en cambio, manifiestan gran apatía, músculos fofos, y son propensos a las fracturas óseas.

Otras enfermedades causadas por el consumo de azúcar refinado

A esta suma de trastornos habría que añadir el aumento de infartos de miocardio y la producción de cálculos biliares en las personas consumidoras de azúcar refinado.

La hipotonía muscular infantil, la proliferación de amigdalitis y demás enfermedades típicas de la infancia, así como la deficiente curación de la poliomielitis, son otras consecuencias de este consumo desproporcionado de productos refinados. Un reciente estudio demostró, además, que las enfermedades infecciosas infantiles tardaban más en curarse cuando el enfermo ingería alimentos azucarados refinados.

Un factor que acrecienta los problemas del azúcar es consumirlo junto a otros carbohidratos igualmente refinados y aún más en presencia de grasas, y no hay que olvidar que la mayor parte de los productos de pastelería contienen una cantidad importante de manteca de cerdo para darles consistencia.

La administración conjunta de estos nutrientes produce una lentitud en la metabolización del azúcar, lo que da lugar a que se puedan transformar en grasas y depositarse en el tejido adiposo.

Mezclar grasas animales con azúcar blanco es una práctica errónea que daña la salud.

Por último, el consumo de azúcar refinado da lugar a otras alteraciones, entre las cuales están: el acné juvenil e incluso de adultos, agudización de las varices, infecciones intestinales, diabetes, úlceras gástricas, etc.

Otros tipos de azúcares

Fructosa

Azúcar altamente levógiro obtenido mediante la acidificación de la inulina, y que aparece junto con la glucosa en las frutas dulces y en los jugos de frutas.

Sacarosa

Es el azúcar normal de mesa, extraída de la remolacha azucarera o la caña de azúcar. Es soluble en agua y ligeramente soluble en alcohol y éter, cristalizando en agujas largas y delgadas.

Ciclamato

Es 30 veces más dulce que la sacarosa; se usan tanto la sal sódica como la cálcica en toda una variedad de alimentos.

Aspartamo

Derivado de un aminoácido, es unas 200 veces más dulce que la sacarosa, siendo muy utilizado en refrescos, preparados para postres y como edulcorante de mesa. Contiene fenilalanina.

Sacarina

Polvo blanco cristalino, sintético, que en estado puro es 550 veces más dulce que el azúcar de caña y en su presentación comercial posee un poder edulcorante 375 veces mayor que el azúcar, pero tiene un regusto amargo. Se elabora a partir del tolueno, un hidrocarburo presente en el alquitrán de hulla.

La sacarina es más perjudicial que el azúcar blanco

Acesulfamo-K

Producto sintético unas 200 veces más dulce que la sacarosa. No se metaboliza y se excreta sin alteración alguna.

Taumatina

Proteína extraída del fruto africano llamado katemfe o 'fruta milagrosa de Sudán'. Es unas 1.600 veces más dulce que la sacarosa.

Stevia

Sus hojas tienen una capacidad edulcorante entre 30 y 45 veces mayor que la de la sacarosa. Estas hojas pueden ser consumidas frescas, en infusión o como ingrediente dentro de la comida.

Xilitol

Es un endulzante que se encuentra naturalmente en los árboles de abedul, así como en muchas frutas y verduras. Comparado al azúcar, el xilitol se ve y sabe igual, pero tiene 40% menos calorías.

2.3. LA SAL

De ser considerado uno de los alimentos básicos para la salud humana y utilizarse como pago de los servicios prestados (el salario), ha pasado a ser considerado un elemento a eliminar de los alimentos. Ya nadie se acuerda de aquellas épocas en que los soldados partían a las guerras con su ración de sal.

Ahora, sus efectos curativos han quedado tapados y en su lugar se dice que produce un sinfín de enfermedades, e incluso los naturistas abogan por una supresión de la sal de cocina, alegando que con los alimentos ingerimos suficiente sal.

Imprescindible

La sal es imprescindible en nuestra alimentación y no resulta recomendable suprimirla en su totalidad, ya que es necesaria para la vida. Hay que tener en cuenta que la naturaleza no es tan desproporcionada como para que algo tan poco útil exista en tan grandes cantidades. El aire, el agua, la tierra y la sal son elementos que se encuentran por doquier, con abundancia, y que existen independientemente de que el hombre intervenga o no.

Su misión es asegurar la supervivencia de los seres, no dañarles. La abundancia de sal en la naturaleza es, por tanto, una necesidad vital.

Las mayores controversias se suscitan en averiguar cuál es la cantidad necesaria mínima para sobrevivir, qué cantidad debemos aumentar según sean las demandas corporales, y en qué proporción se debe disminuir en algunos enfermos.

El sodio contribuye al proceso digestivo manteniendo una presión osmótica adecuada. Además, fomenta la producción del ácido clorhídrico y en colaboración con el potasio regula los líquidos de las células. Impide la salida excesiva de los líquidos corporales, manteniendo la excreción renal en unos niveles óptimos y con su presencia en el interior de la célula colabora en la transmisión del impulso nervioso.

Sal purificada

La sal común de cocina es una sustancia obtenida a partir de la sal marina y que mediante un proceso de cristalización y secado se la separa del resto de los componentes. Este proceso, que antaño no se realizaba, pues la gente consumía sal sin refinar, fue elaborado por los comerciantes para evitar que la sal se apelmazara en los recipientes, ya que sus propiedades higroscópicas le conferían la propiedad de absorber y retener agua. La sal pura, por tanto, se reconoce porque se conservaba muy poco tiempo suelta, pues en el proceso de purificado se pierden elementos importantes.

Hoy día las cosas están claras y, sin embargo, la sal que nos suministran sigue siendo cloruro sódico puro, sin más, e incluso la sal refinada de mesa ha sido sometida a un nuevo proceso de blanqueado y triturado que la hace aún más desequilibrada y dañina.

En épocas de fuerte calor hay que aumentar la ingesta de sal.

Sal marina pura

En su origen, la sal extraída del mar contiene cloruro sódico, magnesio, yodo, oro, cobre, níquel y cobalto. Esto la convierte en un alimento precioso y hasta cierto punto imprescindible para la alimentación humana, siempre y cuando la tomemos sin refinar, pura.

Al agua de mar cada vez se la empieza a considerar como un sustituto de la sangre artificial y en la sal marina están incluidas la mayoría de las virtudes y compuestos del agua.

El llamado Plasma Quinton, cuyas características con nuestra sangre son notorias, es una mezcla de agua de mar y manantial. Con ella se han podido salvar ya muchas vidas, quizá con bastante menos riesgo que administrando transfusiones de sangre.

La sal marina se comporta como un organismo vivo, similar a la arcilla, y es capaz de atraer sustancias cargadas de radiaciones negativas y eliminarlas a continuación por los canales normales. A una persona débil, enfermiza o con anorexia rebelde, se le debería administrar sal marina, antes de probar con otras soluciones químicas.

LA SAL COMO ELEMENTO CURATIVO

Conservante

Desde los tiempos lejanos se conoce su influencia para desinfectar heridas, tratar contusiones o conservar alimentos, así como son también conocidos los beneficiosos efectos del agua de mar en la curación de enfermedades o simplemente en la revitalización de las personas. Esta acción no se debe, como se pensaba, exclusivamente a la acción del sol, ya que los baños en los ríos no tienen las mismas virtudes.

Carencia de yodo

Las personas con afecciones en el tiroides, sobre todo el bocio, notarán una mejoría espectacular con los baños de mar, así como aquellos que tengan una glándula tiroidea hiperactiva, la cual les exige aportaciones extras de yodo. En el supuesto de que no puedan acudir al mar con regularidad, pueden darse baños en casa con el agua enriquecida o aplicarse compresas igualmente ricas en sal marina pura.

Edemas

Otra aplicación, tan lógica como la anterior, es para eliminar los edemas de los tobillos o aliviar las contusiones.

Dadas las propiedades higroscópicas que tiene la sal, es lógico comprender que pueda absorber la humedad o los líquidos próximos a ella, y para esto bastará con aplicar cataplasmas secas de sal en los lugares concretos.

Cepillares los dientes una vez a la semana con sal marina es una buena manera para fortalecer las encías y blanquearlos

Mucosidad

Los médicos suelen recomendar que se utilice agua salada para quitar las mucosidades de los recién nacidos, así como realizarles lavados de encías cuando las tienen delicadas o sangrantes.

Unas gotas de agua salada en la nariz suelen bastar para despejar una nariz obstruida y no existe problema en repetir la operación cuantas veces se quiera.

Otros

Suplementos adecuados de sal marina en nuestra alimentación darán una fortaleza notoria a las glándulas endocrinas, especialmente el tiroides.

Para curar un forúnculo o un absceso, es útil mezclar arcilla en polvo y sal marina, mezcla que se aplicará en forma de ungüento en la parte dañada, al principio caliente para activar el proceso y después frío.

Y si quiere tomar un baño estimulante que le quite el cansancio pertinaz, añada medio kilo de sal marina a la bañera y hojas de romero. Permanezca mientras el agua esté tibia y antes de salir enfríela unos segundos.

Otras aplicaciones no menos importantes:

Quemaduras (aplicar sal humedecida)

Para blanquear los dientes
Eliminar la caspa rebelde (aclararse con agua salada)
Neuralgias (aplicarla donde duele)
Diarrea (mezclada con zumo de limón)
Tos (tomar una pizca)
Hemorroides (hacer un enema salino)
Ataque epiléptico (introducirle sal en la boca.)

TEMA 3

PRINCIPALES HIDRATOS DE CARBONO

Se dividen en dos grandes grupos, que son: los carbohidratos simples (los azúcares) y los complejos, como el almidón y la celulosa.

AZÚCARES

Monosacáridos

Entre los monosacáridos están la glucosa, fructosa y galactosa. La glucosa la podemos encontrar en las uvas, las frutas y la miel, y la fructosa (cuyo metabolismo no depende la insulina y puede ser utilizada por los diabéticos) también aparece en las frutas y la miel.

Disacáridos

Los disacáridos más importantes son: la maltosa (glucosa más glucosa), presente en la malta; la sacarosa (glucosa más fructosa), conocida como azúcar común y que se extrae de la remolacha o la caña de azúcar, y la lactosa (glucosa más galactosa), presente en la leche.

Polisacáridos

Los polisacáridos principales son dos: el almidón, que se encuentra en los cereales, tubérculos y leguminosas, el cual tiene un tamaño molecular mayor que los monosacáridos, y la celulosa, alimento insoluble e indigeribles por el ser humano y que se encuentra en todos los alimentos vegetales integrales.

La presencia de ciertas bacterias o de protozoos en el tubo digestivo de otros animales permite que pueda ser utilizada como buen elemento energético.

Los almidones se encuentran en el maíz, arroz, patatas o mandioca, por ejemplo, y su digestión se inicia en la boca, al masticarlos y mezclarlos con la saliva. La enzima amilasa descompone los almidones y los separa en glucosa, acción que solamente será frenada por los ácidos de estómago. Por eso, cuando queramos disponer de energía inmediata hay que ensalivar bastante tiempo los alimentos.

Una vez que esos alimentos pasan al intestino delgado se siguen descomponiendo en glucosa de una manera más lenta.

Su composición está basada en el carbono, hidrógeno y oxígeno, existiendo una gran diferencia en sus funciones, tanto en las nutritivas, como curativas, lo mismo que a la hora de establecer un régimen calórico adecuado.

Asimilación y metabolismo

La glucosa de la uva, la fructosa o levulosa de la fruta y la miel, así como la galactosa de ciertos vegetales y la manosa de algunas raíces, al tratarse de azúcares simples o monosacáridos son directamente asimilables, sin digestión previa y las diferencias entre ellos radican en su tiempo de absorción, siendo más lento para la fructosa y más rápido para la glucosa. Por el contrario, la fructosa proporciona más cantidad de glucógeno y, por tanto, más energía utilizable, mientras que la glucosa tiene el inconveniente de ralentizar el tránsito intestinal. Sin embargo puesto que la fructosa acaba transformándose en glucosa produciendo una elevación glucémica en sangre, ya no se considera un edulcorante recomendable para las personas con diabetes.

Todos los azúcares e hidratos de carbono, incluidos los almidones, al terminar la digestión se convierten en glucosa, la cual pasa a sangre por la pared intestinal mediante ósmosis, donde se encamina al hígado por el canal de la vena porta. Merced a esta víscera, las concentraciones en sangre de glucosa se mantienen estables, siendo almacenado el resto en forma de glucógeno hepático, el cual quedará como energía de reserva para cubrir las demandas necesarias, sobre todo en los ejercicios violentos y rápidos.

Los hidratos de carbono complejos o polisacáridos deben constituir nuestra base alimentaria, ya que en ellos se encuentran los almidones y la celulosa, siendo su fuente de procedencia principal los cereales, tubérculos, las leguminosas y las hortalizas.

Composición en hidratos de carbono de algunos alimentos

Pan blanco..................	64,4%
Almendra	19,6%

Alimento	%
Azúcar blanco	99,1%
Carne vacuno	0,%
Patata	17,9%
Lechuga	2,9%
Huevo	2,7%
Leche	5,2%
Judía seca	60,8%
Naranja	10,5%
Arenque	0%
Aceite de oliva	0%

Los almidones proporcionan un aumento paulatino del azúcar en sangre, dando tiempo, por tanto, a nuestro organismo a segregar insulina, ya que su estructura compleja hace que se digieran más lentamente. Su digestión comienza en la boca (por eso estos alimentos hay que masticarlos bien), y al mezclarse con la amilasa -fermento presente en la saliva y el páncreas- se descompone en unidades de glucosa asimilables. Una vez en el estómago, los ácidos detienen este proceso, el cual se vuelve a reanudar cuando el alimento pasa al intestino delgado, en donde la presencia de nuevo de la amilasa pancreática lo descompone en glucosa.

Esta acción retardada para los hidratos de carbono complejos es lo que provoca unos niveles de glucosa prolongados, aunque no se puedan utilizar inmediatamente y sea necesario recurrir a los simples para conseguir energía rápida. La cocción de los almidones o la adición de malta acelera este proceso y será posible de esta manera conseguir un alimento energético rápido y de fácil digestión.

Existe otro glúcido, la **inulina**, presente en las alcachofas, el cual tiene una acción no determinada con exactitud, pero se le ha comprobado que es capaz de luchar contra la hiperglucemia inducida. Su aplicación en la diabetes sería un punto a tener en cuenta.

Aporte energético

En el grupo de los monosacáridos tenemos la sacarosa extraída de la remolacha, dando lugar al azúcar común o blanco, y la lactosa contenida en la leche. Ambos se componen de dos monosacáridos para ser absorbidos, lo que proporciona al final varios azúcares simples. Estos componentes se absorben con rapidez y su paso a sangre es muy rápido, ocasionando ventajas y desventajas, entre ellas:

La uva es uno de los alimentos energéticos más saludables

1.- Una absorción rápida proporciona energía inmediata, pero el hígado recibe un fuerte choque de glucosa, más de lo que puede transformar en glucógeno, y el páncreas se ve forzado a segregar más insulina. Todo esto de forma inmediata.

2.- El exceso imposible de procesar tiene que transformarse en grasa y ocasionar un déficit de vitamina B1.

Nada de esto ocurre cuando se toman alimentos hidrocarbonados complejos, ya que su nivel de absorción es lento y el organismo tiene tiempo de acomodarse y digerirlo.

Por ello, tomar cereales y leguminosas es una forma de asegurarnos la salud y de no engordar, pues solamente la ingestión masiva de monosacáridos (recuerden: remolacha y leche) puede dar lugar a problemas.

Celulosas

Otro grupo importante de hidratos de carbono son las celulosas, las cuales tienen la propiedad de no descomponerse apenas mediante la acción de las enzimas digestivas, por lo que no pueden considerarse como una fuente de energía, a no ser en situaciones de carencias nutritivas en las cuales el organismo es capaz de digerirlas parcialmente.

Solamente los rumiantes son capaces de descomponerlas y extraer de ellas los principios nutritivos.

Utilidad

Su mayor utilidad en el organismo es su riqueza en fibras dietéticas las cuales, precisamente a causa de no ser absorbibles, producen un aumento del bolo alimenticio muy fácil de absorber y las materias fecales residuales pueden eliminarse con facilidad.

Su carencia en la alimentación provoca residuos imposibles de metabolizar, tránsito intestinal muy lento, absorción de los azúcares demasiado rápido, digestión de las grasas dificultosa y adherencias en la mucosa gástrica.

A todo esto hay que sumar una mayor corrosión del ácido clorhídrico y una gran propensión a las enfermedades cancerígenas de origen digestivo.

Resulta una incongruencia eliminar el salvado del trigo y añadirlo posteriormente para elaborar pan integral

El refinado

El continuo refinado de los cereales, entre ellos la harina y el pan, ha dado lugar a una carencia en nuestra alimentación de fibras, de las cuales el salvado es sobre la que más atención se ha puesto.

La incorporación de la fibra al pan blanco, así como la recomendación de tomar salvado en copos, son algunos de los recursos que se están utilizando para mitigar la desnaturalización de nuestros alimentos.

Lo lógico sería atacar al mal en su raíz y volver a entregar a los consumidores los alimentos en su estado natural, pero parece ser que en esto nos tropezamos con unas cadenas alimentarias difíciles de romper, aunque nos parezca incongruente quitar el salvado a la harina y luego volver a incorporárselo.

TEMA 4

PROTEÍNAS: SOLAMENTE LAS NECESARIAS

4.1. DIFERENTES TIPOS

La masa de los músculos, vísceras, cerebro, nervios, piel, pelo y uñas, así como las fibras elásticas y de otro tipo que enlazan entre sí las células y los tejidos, están constituidas básicamente por proteínas. Son de muy diferente variedad, desde las duras queratinas del pelo y de las uñas, hasta la albúmina blanca de la clara del huevo.

Aunque existen millares de proteínas, se asemejan mucho químicamente y una característica común a todas ellas es su baja solubilidad. En el caso de la fibra muscular, los millares de átomos enlazados unos a otros les permite enrollarse en forma de resorte, acortando así el músculo, lo que a su vez se traduce en una enérgica tracción muscular.

COMPOSICIÓN

Su composición básica es de carbono, hidrógeno, oxígeno y nitrógeno, a los que con frecuencia se suman cantidades pequeñas, pero esenciales, de azufre y fósforo. Hay proteínas muy específicas, como la hemoglobina de los glóbulos rojos, que contiene hierro; la tiroglobulina de la glándula tiroides, que contiene yodo, o la caseína de la leche, que contiene fósforo.

Una forma de asegurarnos la absorción de algún mineral deficitario sería uniéndolo a una proteína, método conocido como quelación y que hoy día es la manera más racional de suministrar ciertos minerales a personas enfermas, en especial hierro y calcio.

4.2. LOS AMINOÁCIDOS

Lo que realmente caracteriza a las proteínas es el estar compuestas de otras unidades menores unidas entre sí, llamadas aminoácidos, siento éstos quienes en verdad se incorporan al organismo. Cuando se trata de formar un tejido nuevo o reconstruirle, se juntan de nuevo los aminoácidos para formar nuevas proteínas.

Principales aminoácidos

Los principales aminoácidos para el ser humano son: glicina, alanina, fenilalanina, valina, tirosina, leucina, triptófano, isoleucina, ácido aspártico, ácido glutámico, arginina, serina, histidina, treonina, lisina, cistina, prolina, cisteína y metionina.

Existen otros aminoácidos, como la hidroxiprolina, la hidroxilisina, la monoyodotirosina y la diyodotirosina, que no son componentes esenciales del tejido muscular.

Su procedencia

Lo importante es el consumo de aminoácidos en cantidades suficientes, vengan de donde vengan y las diferencias estarían en la cantidad que contenga el alimento en cuestión y el resto de sustancias que acompañan a dicho alimento.

Por este motivo, no queda más remedio que inclinarse por la alimentación naturista, mucho más saludable que la cárnica, ya que si, a fin de cuentas, de lo que se trata es de asegurarnos nuestro aporte proteico, es mejor hacerlo con alimentos probadamente saludables.

Esenciales y no esenciales

Cualquier aminoácido, sea cual sea su origen, es idéntico a otro similar. El problema aparece cuando se habla de aminoácidos no esenciales, término injusto que diferencia los aminoácidos que el organismo es capaz de sintetizar, y por tanto no es necesario su aporte a través de la alimentación, y los otros, los esenciales, en el sentido de que debemos tomarlos en los alimentos, si queremos aportarlos a nuestro organismo.

Todos los aminoácidos son necesarios, tanto los esenciales como los no esenciales

CARNE VS. VEGETALES

Los defensores de la alimentación cárnica sostienen que la carne es imprescindible para el aporte de proteínas, ya que tiene mayor valor biológico, esto es, su riqueza en aminoácidos esenciales es superior a las verduras.

Esta teoría, mantenida desde el siglo XIX a causa de la visión subjetiva de un investigador llamado Liebing, ha causado mucho daño y pienso que nadie se ha preocupado de investigarla de nuevo.

Es cierto que determinadas verduras contienen menor riqueza de aminoácidos esenciales que la carne, pero esto no es aplicable al resto de los productos naturales. Por poner un ejemplo de algunos alimentos cuya riqueza en aminoácidos esenciales es superior a la carne, tenemos: la soja, el germen de trigo, el polen, la jalea real, la levadura de cerveza, las semillas de sésamo, el mijo y un largo etcétera.

COMBINAR LOS ALIMENTOS

Por otra parte, la combinación adecuada de los productos vegetales nos dará como resultado el que los vegetales nos puedan suministrar adecuadamente todos los aminoácidos que necesitamos. Mezclar cereales y legumbres, legumbres y semillas, leche con cereales o pan con queso, también nos asegurará una riqueza completa en aminoácidos, a lo que habrá que añadir una cantidad grande en aminoácidos no esenciales, que, aunque su nombre dé lugar a errores, son tan esenciales para el ser humano como los otros. La única diferencia está en lo dicho anteriormente: unos se pueden formar y los otros no, pero siempre y cuando se reúnan las condiciones idóneas para su formación, y esto no siempre es posible con la alimentación actual.

Combinando los vegetales podemos disponer de la adecuada cantidad de proteínas diarias

4.3. VALOR BIOLÓGICO DE LAS PROTEÍNAS

Una clasificación distinta para las proteínas es juzgarlas según sea su valor biológico y este valor está en función de su riqueza en aminoácidos esenciales. Cuanto más completa sea la proporción, más alto valor biológico tendrá dicha proteína, y en este sentido hay que reconocer que los alimentos cárnicos son superiores a la mayoría de los vegetales, salvo las excepciones mencionadas anteriormente. Pero este argumento aun así no es válido, ya que faltan dos motivos más para juzgar la preferencia de un alimento sobre otro: el primero es la NPU (utilidad neta de la proteína), y el segundo, cuáles son el resto de los elementos nutrientes que acompañan a una proteína.

DISPONIBILIDAD PROTEÍNICA

Las carnes, cuya riqueza en proteínas es alto, tienen, sin embargo, un nivel de NPU apenas de un 67 por 100 y esto quiere decir que sus proteínas, aun estando compuestas de todos los aminoácidos esenciales, no pueden ser absorbidas en su totalidad. El huevo, por ejemplo, alcanza unos niveles de aprovechamiento (NPU) del 94 por 100 y la leche del 82 por 100. Por este motivo, una persona que quiera renunciar a una alimentación cárnica nunca tendrá carencia proteínica, como hasta ahora se quería demostrar, ya que le bastará mezclar leche con cereales integrales o arroz con huevos, para asegurarse su ración necesaria.

OTROS NUTRIENTES ANEXOS

El segundo factor a tener en cuenta sería el resto de los elementos que contiene un alimento, y en este sentido la alimentación cárnica tiene todas las desventajas. Su contenido en grasas saturadas es altísimo, mientras que la alimentación vegetal es muy rica en grasas poliinsaturadas. Su contenido vitamínico y mineral es muy pobre comparado con la mayoría de los vegetales, así como también son deficitarias en hidratos de carbono complejos, aquellos que pueden ser metabolizados inmediatamente. Si a estos inconvenientes añadimos los residuos tóxicos que produce su metabolización (purinas, ácido úrico, etc.), tendremos pocas ventajas ya para seguir hablando de la carne como la única fuente válida de proteínas.

En sustitución podemos comer pescado cuyo valor biológico es muy alto, su NPU alcanza el 80 por 100, y posee una gran riqueza en grasas poliinsaturadas, calcio, fósforo, yodo, etc.

4.4. ¿CUÁNTAS PROTEÍNAS NECESITAMOS?

No hay una cifra exacta

Las cifras orientativas han variado mucho desde primeros del siglo XX, en donde se hablaba de la necesidad de casi dos gramos de proteínas por kilo de peso, lo que sin lugar a dudas motivó el comienzo del auge de la alimentación cárnica como única manera de asegurarse la salud.

Esta cifra desorbitada fue bajando poco a poco y durante bastante tiempo se mantuvo la cifra de un gramo por cada kilo de peso. Nadie sabe a ciencia cierta el porqué de esta cifra; quizá porque su promotor pensó que dando una cifra redonda se podía calcular mejor las necesidades de cada uno sin necesidad de hacer números. ¿Pesas setenta kilos? Pues setenta gramos de proteínas. Lo cierto es que aún hoy día muchos médicos siguen hablando de esta cantidad y a ella se atienen.

En la mayoría de los países del primer mundo se consumen muchas más proteínas de las necesarias

PÉRDIDA DE LAS PROTEÍNAS

La única manera de conocer las cifras necesarias sería conociendo las pérdidas, pero aun así no podríamos estar seguros de su certeza, ya que el organismo es capaz de retener proteínas cuando hay gran demanda, como es el caso de insuficiente ingesta de hidratos de carbono o periodos de gran actividad física. Las personas convalecientes o recién operadas también demandan cantidades muy altas.

AJUSTAR A LAS NECESIDADES INDIVIDUALES

Haciendo caso a la conclusión sobre las pérdidas, tenemos que una persona con una actividad media necesitaría un mínimo de treinta y tres gramos de proteínas útiles para cubrir sus necesidades y nunca deberían sobrepasarse los cincuenta gramos diarios, salvo en las circunstancias mencionadas anteriormente.

FACTORES QUE AUMENTAN LAS DEMANDAS

Existen también otros factores que aumentan nuestras necesidades proteínicas, entre los que están: problemas emocionales (ansiedad, irritabilidad, dolor, tristeza), los cambios bruscos de clima, la sudoración abundante, el estrés, etc. También podemos acusar un déficit si nuestra alimentación es pobre en hidratos de carbono, circunstancia que se da normalmente en personas sometidas a regímenes de adelgazamiento, en los cuales se suprimen la mayoría de los hidratos de carbono y se sustituyen por alimentos cárnicos. Tremendo error que conduce a la enfermedad, la desnutrición y a una bajada de peso momentánea.

El consumo excesivo de proteínas produce, entre otros trastornos, aumento de la agresividad

LA CIFRA RECOMENDADA

Por todo ello, cifras superiores a 0,6 gramos de proteínas diarias no son necesarias y sobrepasarlas acarreará una serie de inconvenientes, como veremos más adelante.

Los alimentos más ricos en proteínas serían pues: las gelatinas, el hígado, la carne, el pescado, los huevos, la leche, la soja, la harina integral, el cacahuete, el yogur, las semillas de girasol, el germen de trigo, los guisantes, la avena, las patatas, el maíz integral, las legumbres y el arroz integral.

Como es fácil darse cuenta, la carne no es la única fuente válida para tomar proteínas.

TEMA 5

LAS GRASAS

5.1. CLASIFICACIÓN BÁSICA

La mayoría de las grasas están compuestas de glicerol combinado con ácidos grasos y sus diferencias están a nivel molecular, en el sentido de su contenido en triglicéridos, esteroles y colesterol, así como fósforo.

Glicerol

El glicerol, o glicerina, es un líquido incoloro y dulce, el cual se emplea a menudo para fabricar bizcochos, aunque en este proceso también se le sustituye por el sebo de cerdo.

Muy higroscópico, soluble en el agua y en el alcohol, se obtiene saponificando las grasas por el vapor de agua sobrecalentado que arrastra los ácidos grasos y la glicerina, resultando una solución acuosa de ésta en la que sobrenadan los ácidos citados. Se obtienen también como producto secundario en la fabricación de los jabones y se purifica por destilación.

Ácidos grasos

Ácido graso es cualquiera de los ácidos orgánicos cuya molécula está formada por dos átomos de oxígeno y doble número de átomos de hidrógeno que de carbono. Los de mayor número de átomos de carbono, combinándose con la glicerina, forman las grasas.

El ácido metanoico (fórmico), y el ácido etanoico (acético), son los ácidos grasos más simples y ambos tienen sabor amargo, irritan la piel y tienen un olor penetrante.

Otros ácidos grasos con estructura más complicada son el butanoico, el hexanoico y el octanoico, todos con un olor desagradable. Los ácidos esteárico, palmítico y nafténico son materiales grasientos que tienen poco olor.

Una fuente cada vez más importante de ácidos grasos es el tallol, un subproducto obtenido en la fabricación de la pasta de papel con madera de pino.

Ácidos grasos esenciales

Con el nombre de ácidos grasos esenciales se les denominó cuando se descubrió su importancia en la alimentación humana y su papel como emulgente de las grasas saturadas. Sin su presencia, se deteriorarían las membranas celulares y ningún tejido corporal estaría en buen estado.

Las grasas saturadas no podrían circular libremente en sangre, adhiriéndose rápidamente a las arterias y al tejido adiposo (ésta sería una de las causas primordiales de la obesidad y las enfermedades coronarias), y tampoco podrían formarse las prostaglandinas, una especie de hormonas vitales para el funcionamiento defensivo del organismo.

La costumbre de eliminar las grasas de alimentación, indiscriminadamente, sin tener en cuenta las diferencias entre ellas y su papel vital, acarrea un sinfín de problemas difíciles de resolver médicamente. Las articulaciones resecas, lo cual se confunde la mayoría de las veces como artrosis, los continuos desgarros musculares de los deportistas que no toman grasas y las dislocaciones frecuentes articulares al realizar un movimiento brusco, indican una carencia de materia lubricante.

Del mismo modo, la piel acusa pronto esa carencia de elasticidad, dando origen a la aparición prematura de arrugas, ocasionándose también una pérdida de la almohadilla que debe proteger el movimiento de órganos tan vitales como los riñones y el hígado. Estos problemas van unidos frecuentemente a una débil resistencia al frío y la falta de energía a última hora de la tarde.

Pero cuando se habla de la necesidad de consumir grasas no nos estamos refiriendo a las grasas saturadas de procedencia animal, sino a las grasas que se encuentran en los vegetales, ya sean saturadas, monosaturadas o insaturadas.

Lo importante es que la proporción, 1:7, en que se encuentren en nuestro organismo sea favorable a las insaturadas y que las saturadas puedan mezclarse adecuadamente con éstas. Suprimir, por tanto, el aceite vegetal de los alimentos cárnicos por aquello de no añadirles más grasa, es un tremendo error ya que, repito, hay grasas y grasas.

Aunque las grasas saturadas también deben estar presentes en la alimentación, su consumo debe de ser mucho menor que el de las insaturadas

Clasificación

Los ácidos grasos presentes en nuestra alimentación se pueden clasificar en dos grandes grupos: los ácidos grasos saturados y los insaturados. También hay un tercer grupo denominado como ácidos grasos monosaturados.

Saturados

Los ácidos grasos saturados son sólidos a una temperatura ambiente de 20° C y ejemplos de ello los tenemos en la manteca de cerdo, el sebo y la grasa de coco o palma. Deben su nombre de saturados al hecho de que sus átomos de carbono están saturados de hidrógeno.

Insaturados

Los ácidos grados insaturados, cuya estructura química posee uno o varios enlaces múltiples covalentes, se encuentran en los aceites vegetales, tienen una escasez de átomos de hidrógeno y son líquidos a temperatura ambiente. En este grupo tenemos los aceites de semillas, maíz, soja, girasol y cacahuete, así como los frutos secos y una gran variedad de productos vegetales.

Monosaturados

Cuando en un ácido graso falta un par de átomos de hidrógeno se le denomina ácido graso monoinsaturado, y cuando faltan varios, insaturado. El primer grupo sería una mezcla entre las grasas saturadas y las insaturadas, de las cuales el aceite de oliva es el mejor exponente, y en el segundo estarían comprendidas el resto de los aceites de semillas.

Otros

Fosfolípidos

Combinados con otras sustancias se encuentran ácidos grasos en forma de fosfolípidos (glicerol, más ácido fosfórico, más colina), los cuales forman parte de la estructura de las células y son un puntal básico de nuestra alimentación, sobre todo en la niñez. Las encontramos también en gran cantidad en el tejido nervioso, hepático y en la sangre. Forman parte esencial de todas las membranas celulares, siendo imprescindibles para el intercambio transmembranario, base de la actividad celular.

Omega 3

Igualmente importantes para la alimentación son los ácidos grasos esenciales, entre los cuales nos encontraremos con la gama Omega 3 (EPA y DHA), Omega 6 (ácido araquidónico), sin olvidar el Gamma linoleico.

El ácido Gamma linoleico se encuentra en las semillas de la Onagra

Los triglicéridos

El hígado es el responsable de transportar los triglicéridos y el colesterol en unas lipoproteínas de muy baja densidad, conocidas como VLDL. Una vez formadas, sufren diversos cambios y se originan entonces las temidas LDL.

La síntesis de las VLDL es un proceso continuo del hígado y depende básicamente de la cantidad de lípidos que existan. Por eso, cuando la síntesis de triglicéridos aumenta, bien sea por acumulación de materia grasa o glucosa, aumenta también la síntesis y secreción de VLDL.

Los aceites de pescado azul también contribuyen a la bajada de los triglicéridos.

La lecitina

Las lecitinas son compuestos presentes en la naturaleza y también en el organismo humano. Su nombre químico más correcto es de fosfatidilcolina, el cual es un conjunto de sustancias derivadas del glicerol, dos ácidos grasos y una molécula fosforilada.

Según la procedencia, la lecitina puede variar en su composición, siendo la procedente de la soja más utilizada por su alto contenido en ácidos grasos poliinsaturados integrados en fosfolípidos.

Composición de la lecitina de soja:

Fosfolípidos: (fosfatidilcolina, fosfatidiletanolamina, fosfatidilinositol) 40 por 100.

Ácidos grasos: (linoleico, linolénico, monoinsaturados, saturados), 60 por 100.

5.2. CONTENIDO EN GRASAS DE ALGUNOS ALIMENTOS

Esta sería una clasificación de los alimentos en función de su contenido total en grasas, tanto saturadas como insaturadas. En la medida en que el alimento sea de origen vegetal, así será mayor su cantidad de grasas insaturadas.

Aceites: 99%

Mantequilla: 85%

Almendras: 60%

Quesos fuertes: 30%

Carnes grasas: 24%

Pescados grasos: 17%

Huevos: 11%

Carnes magras: 9°/O

Leche entera: 4,5%

Pescado blanco: 1,5%

Legumbres secas: 1,5%

Cereales: 1,4%

Pan: 1,0%

Frutas secas: 0,5%

Frutas: 0,5%.

Otros:

Manteca de cerdo: 10%

Mantequilla: 4%

TEMA 6

LOS ACEITES

Entre los aceites vegetales las preferencias van hacia aquellos que se extraen de semillas y frutos, como son las aceitunas, los cacahuetes, la soja, la colza, el girasol, maíz, uvas y cocos.

Su obtención es muy sencilla, ya que basta con prensarlo en frío, lo que da lugar a un aceite de primerísima calidad, sin refinar, en el cual están contenidas todas las sustancias nutritivas y medicinales del fruto. Por desgracia, este procedimiento es lento y caro y actualmente solamente los agricultores amantes de los alimentos biológicos lo venden así.

El resto, el comercializado a gran escala, se obtiene mecánicamente, utilizándose en ocasiones disolventes para extraer todos los residuos y añadiéndole aditivos para que no se enrancie, ni huela en demasía. El resultado es un aceite limpio, que no produce humos ni salpica al calentarse, pero sin ningún parecido con el aceite sin refinar.

RESIDUOS IMPORTANTES

Lo curioso del caso es que a estos "residuos" no se les considera como tales y se les aprovecha para alimentar al ganado.

Los naturalistas se han dado cuenta de la calidad de estos residuos y los reclaman como parte importante de su dieta, habiéndose conseguido que las proteínas y vitaminas desechadas en un principio pasen a enriquecer la alimentación infantil y que también se elaboren con ellas alimentos vegetales diversos, entre ellos la denominada carne vegetal.

La carne de soja, sin ir más lejos, es un producto residual riquísimo en proteínas de alta calidad biológica, así como en ácidos grasos insaturados, vitaminas E y F.

En cuanto a su contenido en ácidos grasos esenciales o grasas insaturadas, ésta sería la clasificación de los aceites prensados en frío:

Aceite de girasol: 65%

Aceite de soja: 60%

Aceite de germen de trigo: 52%

Aceite de oliva: 8%

El mejor aceite es el de germen de trigo, aunque su sabor es más intenso que los otros

6.1. SATURACIÓN

Mediante un procedimiento de hidrogenación, los aceites licuados de vegetales se vuelven sólidos y se les transforma en margarinas, llegando a tener cierto grado de saturación que les hace no tan aptos para la alimentación como estaban cuando eran líquidos.

Las margarinas actuales han desbancado enormemente a la mantequilla extraída de la leche y cada vez son más puras, no añadiéndose en algunas de ellas producto alguno de procedencia animal, como antes se hacía incorporándolas aceite de pescado. Esta separación trajo un nuevo inconveniente y es que carecían entonces de vitaminas A y D, lo que dio lugar a no pocos casos de raquitismo y hemeralopía. Desde entonces se adiciona con vitaminas A y D, además de suplementarlas con E.

Otros aceites menos utilizados son aquellos que se obtienen de los peces y entre los más apreciados están el aceite de ballena con el cual se fabrican cosméticos, lubricantes y margarinas, y el aceite de hígado de bacalao y halibut, que se utiliza para el tratamiento de anemias o carencias vitamínicas.

La guerra actual a las grasas constituye una moda más entre la población, la cual no distingue entre sus diversas clases, considerándolas a todas por igual perjudiciales. La frase de "coma usted menos grasa" es algo común en las consultas médicas, llegando a eliminarse primeramente los aceites de cocina, pero nunca el bistec; justo al contrario de lo que se debería hacer.

UTILIDAD DE LAS GRASAS

La misión de las grasas en nuestro organismo es variada. En primer lugar está su papel en la absorción de las vitaminas liposolubles (A, D, E, F y K), las cuales necesitan un medio graso para disolverse y así poder asimilarlas.

Una carencia drástica de grasas (menos del 10 por 100 del total de la dieta) provocaría rápidamente una deficiencia de vitamina A.

Otra misión de las grasas es su capacidad energética, siendo capaces de proporcionar el doble de energía que los hidratos de carbono, aunque esta producción de energía sea más lenta, dificultosa e incompleta que aquellos.

Lo cierto es que en esfuerzos prolongados o en los meses de invierno, la necesidad de grasas es notoria. Sin embargo, mezclar un hidrato de carbono con una grasa (un bocadillo de chorizo, por ejemplo), con el fin de asegurarnos energía inmediata y prolongada, no produce dicho efecto, ya que la grasa impide la rápida combustión del hidrato de carbono, con lo que su aporte energético inmediato no se realizaría. Las grasas, pues, hay que tomarlas aisladas de los hidratos de carbono.

Si un niño no quiere comer el bocadillo de chorizo, al menos que se coma el pan

Otra utilidad de las grasas, quizá la más olvidada, es su propiedad como lubricante, empezando en la masticación de los alimentos, pasando por su deglución y terminando en la formación de un bolo alimenticio de absorción paulatina.

6.2. CONTENIDO EN GRASAS SATURADAS

Carne de vacuno: 30 por 100

Ternera: 10 por 100

Carne de cerdo: 60 por 100

Quesos frescos: 4 por 100

Quesos curados: 30 por 100

Quesitos: 50 por 100

Chocolate: 30 por 100

Bollería: 20 por 100

Tartas: 15 por 100.

TEMA 7

LOS CEREALES

Han constituido la base de la alimentación humana durante toda su existencia y aún hoy, a pesar del auge de la alimentación cárnica, son el puntal sin el cual la población pasaría hambre.

Sin embargo, hay dos cosas que no tienen sentido: la primera, que, sabiendo ciertamente que lo mejor es tomar los cereales integrales, ya que su riqueza en nutrientes es mayor, sus propiedades curativas son muy altas y su consumo no provoca enfermedades, no acabamos de comprender por qué se siguen refinando. Lo curioso del caso es que primero se les refina y después o bien se venden por separado los productos del refino (germen, harinas o salvado), o se les vuelve a añadir lo que se les había quitado anteriormente, como es el caso del salvado.

También es práctica común el añadir las vitaminas y minerales que se les ha extraído, convenciendo así a los consumidores de que están tomando un cereal sano.

Pero ni el salvado añadido convierte al pan blanco en integral, ni las vitaminas químicas pueden suplir a las orgánicas que contenía el cereal antes de ser blanqueado.

Lo razonable, lo verdaderamente saludable, es acostumbrar de nuevo a la población a que consuma los productos tal como la naturaleza se los ofrece.

Blanquear, pulir, lavar y conservar un alimento es ciertamente perjudicial, nunca un avance de la ciencia.

El otro asunto irracional es que, mientras que la población mundial occidental se atiborra de alimentos cárnicos, otros países pasan hambre y desnutrición, y eso a pesar de que las cosechas de cereales en el mundo entero podrían bastar para nutrir correctamente a todos. La razón de esta incongruencia es que para conseguir un kilo de carne de vacuno se necesitan siete kilos de cereales. Lo lógico sería que se consumiese el primer eslabón de la cadena, el cereal, y no el producto resultante, el animal. Pero mientras que la mayoría de la gente siga considerando a los cereales un alimento de segunda categoría, o pensando que una sopa de avena es un alimento para enfermos o vegetarianos, poco podemos avanzar.

Composición de un cereal

La parte que más se aprovecha de los cereales es el grano, el cual está compuesto por: el germen, el cual generará una nueva planta y a pesar de que su peso es de solamente el 3 por 100 del total, contiene más principios nutritivos que todo el resto, siendo especialmente rico en vitaminas del grupo B, vitamina E, ácidos grasos esenciales, aminoácidos esenciales y no esenciales, así como una gran variedad de otros nutrientes y enzimas.

Es rico en minerales como el fósforo, el potasio, magnesio y en menor proporción en calcio, hierro, manganeso, cinc, sodio, molibdeno y cobalto. El endoesperma, el cual constituye el 80 por 100 del total, es la parte que se consume normalmente. En su parte externa contiene grasa, hidratos de carbono y algunas vitaminas.

El salvado, o cubierta externa, que es el 17 por 100 del total del grano. Contiene cantidades pequeñas de aminoácidos, sales minerales y vitaminas del grupo B. Es saludable para la eliminación de los residuos alimentarios y previene de enfermedades del colon, incluido el cáncer. Separa las partículas de las féculas y facilita su digestión, dando a los enzimas mayor libertad para actuar sobre los hidratos de carbono. Por su contenido en flúor ayuda a mantener en buen estado la dentadura.

En la elaboración del pan blanco se eliminan totalmente el germen (rico en grasas que se pueden ranciar) y el salvado. Las razones que aún hoy se siguen esgrimiendo para hacer pan blanco son que refinándolo se conserva mejor y el sabor es más delicado.

Sobre la conservación habría que decir que antiguamente quizá tuviera un sentido práctico el refinamiento de los cereales, ya que tanto los almacenes como el transporte eran bastante deficitarios, pero hoy día ya no tiene sentido. Un pan integral se puede conservar el mismo tiempo que uno refinado. Y quitarle el salvado para posteriormente venderlo como fibra dietética es una estupidez, en la que colaboran los médicos, los cuales siguen recomendando a las personas que padecen de estreñimiento, divertículos, colesterol o colon irritable, consumir salvado, pero no recomiendan comer el pan integral, rico en salvado y más equilibrado que el blanco.

Por desgracia, un pan totalmente integral es difícil de consumir, ya que se toma duro, muy compacto y sacia con prontitud. Triturando cien kilos de grano se obtendrían cien kilos de harina integral, de color oscuro y riquísima en minerales, vitaminas y salvado, pero el pan elaborado así no suele tener buena aceptación.

Con un grado de extracción del 90 por 100 se logra una harina de un valor nutricional ligeramente inferior pero, más manejable y con un producto resultante bastante atractivo de sabor. Éste sería el pan integral de mayor consumo.

Una extracción del 70 por 100 produce un producto final de peor calidad, el pan blanco normal, al que se le han eliminado el germen y el salvado, dejando solamente el endosperma. Por muchos añadidos que posteriormente se le hagan, nunca tendrá los mismos nutrientes que la harina integral.

El llamado pan de molde, incluso el que se vende como integral, no debe ser considerado un buen alimento dietético, ya que está elaborado con manteca de cerdo, algo muy lejos de la alimentación saludable.

Según nos llegan noticias recientes, la legislación española está obligando a sustituir todas las grasas animales de la bollería por otras vegetales.

PRINCIPALES CEREALES

Los más utilizados por el hombre son:

- El trigo.
- El arroz.
- La cebada.
- El maíz.
- La avena.
- El centeno
- El mijo.
- Espelta

El trigo

Es el cereal más antiguo de todos, al menos en cuanto a su utilización masiva. Contiene 326 calorías, 10,2 proteínas, 2,0 de grasas, 72,1 de hidratos de carbono, 2,3 de fibras, 42 miligramos de calcio, 400 mg de fósforo, 3,5 de hierro, 0,43 de vitamina B-1 y 0,11 de vitamina B-2.

No contiene vitamina A ni C.

Se le puede considerar como una buena fuente de energía

y proteínas, siendo la cantidad de gluten que contenga lo que le proporciona la dureza y la cantidad de proteínas.

Debería ser la base alimentaria de todo el mundo y mucho más del deportista, ya que le proporciona energía inmediata y de reserva, es fácil de digerir y se presenta en múltiples formas.

Los macarrones, el pan, los tallarines, los fideos y numerosas tortas o productos de pastelería están elaborados con trigo. Mezclado con leche es un alimento completo y saludable para cualquier persona.

El centeno

De cultivo más reciente que el trigo y quizá derivado de la cizaña (una mala hierba), el centeno fue sustituido poco a poco por el trigo para la elaboración del pan.

Su contenido alimenticio es similar al trigo y consta de 334 calorías, 12,1 de proteínas, 1,7 de grasas, 73,4 de hidratos de carbono y 2.0 de fibra. Es muy rico en fósforo (376) y también contiene algo de hierro (3,7) y vitaminas B-1, B-2 y niacina.

Con el centeno se elabora el pan «negro» carente de gluten, el cual permanece fresco muchos días sin necesidad de añadirle conservantes. También se elabora con su harina pan crujiente bajo en calorías, rico en proteínas y algo laxante.

Mediante su fermentación se fabrica el *bourbon,* la ginebra y hasta whisky.

Una sustancia medicamentosa llamada cornezuelo del centeno, y que no es otra cosa que un hongo venenoso que vive como parásito en la planta y destruye el grano, sirve para preparar numerosas medicinas por su efecto dilatador uterino y vasodilatador periférico.

El centeno es rico en rutina, vitamina que proporciona unos vasos sanguíneos fuertes y evita la fragilidad de los capilares. Esta propiedad le hace muy adecuado para diabéticos, hipertensos, encías inflamadas o sangrantes, sabañones y retinopatías diversas.

El arroz

Originario de la India, cuando pasó a Arabia fue considerado un alimento sagrado, surgido quizá de una gota de sudor de Mahoma.

Se conocen ya al menos veinticinco especies diferentes de él y más de cien variedades, aunque las más populares son las de grano corto, medio y largo.

Dotado de una cascarilla ligeramente dura, el arroz en su estado natural completo contiene 357 calorías, 7,2 de proteínas, 1,5 de grasas, 77,6 de hidratos de carbono, 14 de calcio, 231 de fósforo, 2,6 de hierro, vitaminas del grupo B, así como algo de cinc.

Sin embargo, cuando se le pule y elimina la cascarilla, los elementos nutritivos descienden a más de la mitad, convirtiéndose en un alimento desequilibrado. No contentos los «expertos» en alimentación con quitarle la preciada cascarilla (muy rica también en fibra, además de en vitamina B-1, le someten a una operación de lavado y posterior pulido mediante talco, con lo cual dejan un alimento poco interesante para el consumo humano. Aun así, la gente lo sigue prefiriendo al integral, ya que es más fácil de cocinar y su aspecto blanco agrada más a la vista. La única excusa razonable en contra del arroz moreno es que su almacenamiento es más reducido, ya que se puede conservar apenas durante un año.

Lo que actualmente se conoce como arroz contiene poco más que féculas.

Mezclado con otros nutrientes, como, por ejemplo, lentejas, tomate, leche o pescado, constituye un alimento muy completo y de fácil y pronta digestión.

El maíz

Este cereal no fue conocido en Europa hasta que Colón viajó a América y fue cultivado en los países del Mediterráneo. Al principio fue llamado el alimento de los pobres y eso que era considerado por los mayas y los aztecas como un alimento divino, llegando a venerar a la planta como a un dios.

El grano de maíz es bastante nutritivo y su contenido calórico es de 361 por cada cien gramos. El endosperma contiene mucha fécula, bastante proteína (9,4) y algo de grasa (4,3), rica en aceites esenciales. Es pobre en calcio y fósforo (aunque en proporción equilibrada) y bastante rico en vitamina A y B-1. Su aceite es rico en vitamina

E. Aporta algo de magnesio y es deficitario en triptófano, un aminoácido esencial.

Del grano prensado en frío se obtiene un aceite dietético sumamente rico en grasas insaturadas, de gran utilidad en los regímenes de adelgazamiento, para la diabetes y preventivo de las enfermedades vasculares, tales como la arteriosclerosis. Protege la vaina de mielina que envuelve al sistema nervioso.

Con la harina se elaboran sobre todo flanes, natillas, gachas y puding. Las palomitas de maíz se preparan con el grano entero del maíz, por lo que conservan la mayor parte de sus nutrientes. También se puede encontrar en los herbolarios un producto llamado «polenta» muy digestible y nutritivo. Los "cornflakes" no son nada más que granos molidos y tostados, los cuales han perdido la mayoría de los nutrientes.

El almidón del maíz, además de su aplicación en las camisas, se utiliza para espesar salsas aunque no tiene valor nutritivo.

Los copos hinchados, mejor integrales, también son un desayuno completo si lo mezclamos con otros cereales o frutos secos.

Con los pelos de las mazorcas se prepara una tisana muy diurética con la cual podremos perder algo de peso extra sin peligro. Se utiliza también para combatir la celulitis.

Su aceite extraído del germen, utilizado en crudo, es muy útil para combatir el colesterol y el exceso de grasa, mejorando el estado del sistema nervioso y combatiendo el estrés.

La cebada

Éste es un antiguo cereal, ya utilizado en la época de los grandes faraones, y su uso en la alimentación humana está extendido por todo el mundo, aunque con preferencia en los países asiáticos.

En Occidente, la mayor parte se destina al consumo animal y el resto a la fabricación de la cerveza, malta, whisky, bebidas malteadas y sucedáneos de café.

La obtención de la malta se logra germinando los granos y secándolos posteriormente en un horno. El producto resultante es un grano que molido da una bebida similar al café, aunque sin sus inconvenientes.

Se convierte entonces en un buen desayuno, nutritivo, de fácil digestión, muy energético y sin excitantes, apto por tanto para niños, enfermos, embarazadas y cualquier persona que quiera una bebida saludable.

Con la harina se hacen pasteles y tartas.

Su composición es la siguiente: 348 calorías, 9,7 proteínas, 1,9 grasas, 75,4 carbohidratos, 55 mg de calcio, 341 de fósforo, 4,5 de hierro y cantidades menores de vitaminas del grupo B.

Con ella se puede elaborar una bebida altamente energética para utilizarla en épocas de calor intenso o combatir el sudor. Es por tanto una bebida para los minutos de espera en las competiciones deportivas.

El mijo

El mijo fue considerado por los chinos como un cereal sagrado y aún hoy se consume en grandes cantidades en China del Norte en donde, ¿casualmente?, sus habitantes son de estatura mayor. También fue recomendado por Pitágoras y hasta por el mismísimo Atila, quien lo reservaba para él y sus embajadores.

Desaprovechado en la actualidad en favor de otros cereales más inferiores, el mijo es el más nutritivo de todos y el que más virtudes posee.

Su aporte calórico es de 327 calorías, 9,9 proteínas de un alto valor biológico con al menos diez aminoácidos esenciales, 2,9 de grasas con gran contenido en lecitina y 72,9 de hidratos de carbono. Contiene cantidades altas de fósforo (311), hierro (6,8), bastante vitamina B-1 (0,73) y abundancia de B-2 (0,38). También se le encuentran cantidades apreciables de potasio, flúor, sílice, sodio y magnesio.

Su uso en la cocina puede ser muy variado, ya que tiene un sabor delicado, y la única precaución es cocerlo al menos quince minutos.

También posee propiedades diuréticas, corrige las afecciones leves de las vías urinarias, mejora las colitis y suaviza los estómagos delicados.

Es muy digerible, no genera grasa corporal y su acción alcalina hace que se retrase la aparición de las agujetas.

La avena

He aquí otro cereal sumamente interesante e injustamente despreciado. Llamado antiguamente hierba de las cabras, se le reservaba para el consumo animal y hoy día cada vez se cultiva menos en favor del trigo.

Afortunadamente, sus semillas son extraordinariamente resistentes y crecen espontáneamente en cualquier lugar, incluso en climas fríos como los polos.

En el proceso de elaboración de la avena se elimina sólo la cascarilla, permaneciendo intactas las fibras y el germen. Solamente este hecho ya le hace un cereal interesante y quizá uno de los pocos alimentos que se escapan a la acción refinadora y blanqueadora. Para que no se rancien las grasas se le somete a calor y así se inactiva el enzima causante. Una vez eliminada la corteza superior, se convierte en sémola, de valor nutritivo menor pero más fácil de cocinar.

Tanto los copos de avena como la harina integral poseen las mismas virtudes dietéticas. Con la harina se preparan gachas y sirve también para espesar las salsas. Mezclada con la de trigo, la harina de avena es adecuada para preparar tortitas y galletas. Así mismo, se puede preparar una excelente bebida refrescante y nutritiva hirviendo dos cucharadas de harina de avena integral en dos litros de agua durante una hora, y al zumo resultante se le añade el zumo de dos limones y algo de azúcar moreno.

Como tratamiento de belleza la harina de avena se ha utilizado en las épocas más antiguas y aún hoy goza de gran reputación. Es excelente para pieles muy sensibles como la de los niños, para suavizar pieles irritadas, prevenir arrugas o quitar las asperezas de los codos y talones.

Contiene más calorías que los demás cereales (387), más proteínas (13,8), más grasas (6,6), pero menos hidratos de carbono (67,6) Es rica en calcio (53 mg), fósforo (407), hierro (3,6), así como en vitaminas B, E y colina. También posee yodo, cobre y silicio.

Ayuda al buen funcionamiento de la glándula tiroides, corrige el estreñimiento, cura el colon irritable, combate los estados de debilidad, es buena para los enfriamientos y, aplicada externamente, reduce las hinchazones de los pies cansados.

Espelta

En los últimos años la espelta revive poco a poco, en particular en la sección biológica. Esto es así entre otros, porque muchos alérgicos la aprecian y porque contiene los ácidos grasos omega 3, 6 y 9 así como también minerales. Hay muchos cruces de Espelta con Trigo, pero para utilizar la espelta como sustituto del trigo ésta tiene que ser pura. Su consumo origina menos alergias que el trigo pero, al contener también gluten, de ninguna manera es apta para celíacos. En rica en fibra, **en** sodio, potasio, calcio, fósforo, azufre, hierro, zinc, silicio y magnesio, así como en vitaminas del grupo B **y** 8 aminoácidos esenciales.

TEMA 8

LAS CARNES

En la época que vivimos ya son pocas las personas que defienden la alimentación cárnica como algo esencial para el ser humano. Lejos ya de las manipulaciones de la industria cárnica, por un lado, y de los malos médicos, por otro, el consumidor ya va teniendo las cosas más claras y sabe que sin comer carne se puede vivir perfectamente, lo mismo que sin vino o embutidos.

Son tantas las mentiras que se han dicho sobre la alimentación cárnica, en el sentido de que sus proteínas eran esenciales para los humanos, que aún hoy todavía hay madres que creen que el mejor alimento que pueden dar a sus hijos es el jamón serrano, el hígado de ternera o el solomillo.

También es normal que cuando una persona quiere quedar bien con otra le invite a un restaurante de lujo donde, casualmente, la carne es el plato principal y el más caro. ¿Cuestión de gustos o cuestión de dinero? Me inclinaría a pensar que es lo segundo, ya que si la carne de ternera costase a cincuenta pesetas el kilo y las alcachofas a tres mil pesetas, seguro que en todos los banquetes se consumirían alcachofas.

Una de las tonterías que se dicen es que la carne no engorda y mucho menos si la hacemos a la parrilla. Ésta es una aseveración mantenida por los médicos con vocación de dietólogos, los cuales suelen recomendar la carne a la parrilla como más saludable o menos engordante que si la freímos o la cocemos. Solamente utilizando un poco de sentido común y algo de conocimiento, se verá que es una teoría sin fundamento. La carne hecha a la parrilla (supongo que no se referirán también a las barbacoas que nos aportan las cancerígenas nitrosaminas) se hace con apenas una gota de aceite, precisamente una grasa que es muy beneficiosa para la salud. Al eliminarla no se elimina nada perjudicial sino al revés. Sin aceite de fritura la carne sigue engordando lo mismo, genera las mismas purinas, contiene la misma cantidad de grasas saturadas y sus proteínas son las mismas, pero hemos quitado lo único que era algo saludable y recomendable, o sea, el aceite de semillas.

Tomarla poco hecha tampoco es recomendable, ya que encima nos proporciona unas proteínas poco asimilables.

El pernicioso hígado

Si hay un alimento que goza de una buena fama totalmente inmerecida, éste es el hígado. Hoy día son pocas las personas que no piensen que es el mejor alimento cárnico que existe y el más nutritivo.

Tanto es así, que suele ser el primer alimento cárnico que toman los niños pequeños, en la creencia de que es el mas saludable. La aberración llega hasta el punto de que incluso en los hospitales se incorpora a los enfermos desnutridos.

Y es que la inercia es el todo.

Pero les contaré brevemente de dónde le viene la buena fama a tan perjudicial alimento.

A principios de este siglo era muy normal encontrar gentes que padecían una enfermedad llamada anemia perniciosa, para la cual apenas se conocían remedios eficaces. Después de muchas pruebas, encontraron que se debía principalmente a la carencia de una vitamina llamada B-12 y a un factor que debería estar presente en los intestinos, llamado posteriormente «factor intrínseco»

Analizados algunos alimentos encontraron uno, el hígado, que era rico en esa vitamina además de en otros nutrientes igualmente importantes. Sin pensarlo más lo administraron debidamente cocinado a los enfermos, pero éstos, contra todo pronóstico, apenas mejoraron. La razón estaba en que una vez cocinado la vitamina B-12 se destruía casi en su totalidad.

Tal problema no desmoralizó a los médicos, los cuales pensaron que con darlo en forma cruda sería suficiente. Pero si el hígado ya era poco agradable debidamente cocinado, en estado crudo era insoportable y además sus nutrientes no se podían absorber en el aparato digestivo de los humanos. Nada raro ya que, a fin de cuentas, no somos carnívoros en el sentido estricto de la palabra. Podemos comer carne, pero después de someterla al calor.

Lo que ocurrió después de estos fracasos hospitalarios ya es bien sabido. Se inventaron los extractos de hígado y se administraron en forma inyectable al principio y como grageas o bebible posteriormente.

La humanidad había resuelto así el problema de la anemia perniciosa.

Pero si ya sabemos que el hígado no es asimilable crudo y que cocinado pierde los nutrientes principales, ¿por qué las personas y los médicos siguen creyendo que es el alimento ideal para niños y personas débiles? Pues seguramente porque quizá no conocen la historia que les he contado.

Es cierto que el hígado de mamíferos es muy rico en proteínas, pobre en grasas e hidratos de carbono (no proporciona energía, por tanto), y que contiene cantidades importantes de hierro, calcio y vitaminas A, D y B- 12.

Pero es que además de que su riqueza desaparece parcialmente al cocinarlo, es la víscera más tóxica de todas, mucho más incluso que los riñones.

Cualquier estudiante de medicina sabe que en el hígado se neutralizan la mayoría de los tóxicos que ingerimos, sobre todo los metales pesados, los gases de la industria y el alcohol. También almacena urea, produce bilis, acumula grasas y controla el colesterol.

Cuando una persona come hígado está comiendo también todos los tóxicos presentes en él. Si a esto añadimos su mala asimilación y gusto extraño (nadie es capaz de comerlo crudo), es fácil de comprender que solamente la ignorancia motiva el que algunas personas le consideren un buen alimento.

La aberración ha llegado al punto de que se incorpora incluso en los "potitos" infantiles, de la misma manera que se incorpora el perjudicial jamón serrano. Eso forma parte de lo que ahora se denomina como "dieta mediterránea", un truco comercial para vender como saludable lo que, en principio, no lo es.

Si necesita dosis extras de vitamina B-12 puede utilizar la que se encuentra en el alga *spirulina* y si desea hierro lo puede encontrar en las legumbres, remolacha roja, albaricoques o espinacas.

¿Qué es la carne?

La carne de mamíferos, pues de ella hablamos ahora, es un tejido muscular constituido por haces de fibras musculares rodeados de tejido conjuntivo y asociados a grasas saturadas. Darle al músculo lo que es del músculo, aunque parezca lo más lógico, no es aplicable al ser humano.

En la medida en que un alimento está más próximo a la estructura biológica del ser humano, menos adecuado es para la alimentación. El hombre debe comer alimentos lo más lejos posible de su escala evolutiva y en este sentido la carne de mamífero es lo más próximo a él, por tanto, totalmente inadecuada. El hecho de que no seamos por naturaleza antropófagos aunque muchas veces digamos eso de: "Te comería a besos" se debe no a una razón de ética sino a un motivo de salud. Todo lo que es igual a nosotros se rechaza. No buscamos nuestra alma general, sino el alma que nos complemente.

En esto de las carnes existen otros errores, como son el considerar de mejor calidad un solomillo que las costillas, o a la ternera mejor alimento que la vaca. Quedando bien claro que ninguna parte del animal es recomendable, la vaca es más nutritiva que la ternera y el solomillo alimenta igual que el pescuezo. La única diferencia está en el sabor y quizá en su contenido de grasas saturadas. Una de las razones para someter a la cocción o la fritura a las carnes, es que el tejido conjuntivo contiene colágeno y éste se transforma en gelatina al hervirlo.

De igual manera, la carne de los animales adultos contiene más tejido fibroso y eso le hace más dura. No obstante, si como parece existe un hábito de comer carne animal, al menos deberíamos dejar a los animales crecer antes de matarles. Sacrificar cerditos, terneros o cabritos casi recién nacidos, es una brutalidad incomprensible.

La carne de animal tampoco se puede comer nada más sacrificarlo y hay que esperar a la fase de putrefacción para que sea apetecible para el ser humano. En esa fase se forman ácidos que gelatinizan el tejido conjuntivo y así se hace lo suficientemente blanda. Pero lo que debe quedar bien claro es que se come carne putrefacta, una vez que ha desaparecido la fase de rigidez cadavérica.

¿Qué proporciona la carne?

Básicamente, proteínas de alto valor biológico, ricas en aminoácidos esenciales, pero de mediana utilidad neta. También aporta hierro, potasio, fósforo y cantidades pequeñas de vitamina B-1, B-2, B-12 y ácido nicotínico.

No contienen apenas hidratos de carbono, no son por tanto energéticas y por contra son muy ricas en grasas saturadas. Por otro lado, también nos suministran purinas, oxalatos, mucopolisacáridos y nos dejan unos residuos ricos en ácido úrico y urea.

No hay apenas diferencias entre el ganado criado en granjas-factoría, con respecto al que se alimenta con pastos o hierba. Su contenido alimenticio es el mismo, aunque varíe su sabor final. Tampoco es superior la carne blanca de las demás, ni la roja proporciona más sangre a quien la consume. Por supuesto, la carne de toro no nos hace más varoniles ni la de antílope más veloces.

Diferentes tipos de carne

Por su contenido graso la relación es como sigue, de mayor a menor:

Tocino o panceta: 65 gramos/100 de producto.

Embutido (chorizo puro): 39 gramos.

Jamón serrano ahumado: 35 gramos.

Jamón serrano curado: 26 gramos.

Pavo: 20~2 gramos.

Oveja: 19,4 gramos.

Gallina: 18,7 gramos.

Vacuno mayor: 18,2 gramos.

Cerdo: 17gramos.

Ternera: 12 gramos.

Y en menor cantidad tenemos, de mayor a menor, al conejo, pollo con piel, morcilla, liebre, muslo de pollo, cecina y caballo.

En cuanto a su contenido en proteínas la mayor cantidad la encontramos en la cecina, seguida muy de lejos del conejo, el pollo, el pato, la oveja, la gallina, la vaca y la ternera. El último lugar lo ocupa el tocino o la panceta.

Respecto a su riqueza en minerales destacan los 93 mg de calcio de la cecina, los 320 mg de fósforo del pavo y los 44 mg. de hierro de la morcilla.

Que no te den gato por liebre

Aunque seguimos insistiendo en que la carne no es un alimento saludable, las diferencias entre los distintos tipos de carne sería como sigue:

Bistec: Parte de la culata. Se sirve en láminas delgadas de dos centímetros y medio de espesor.

Entrecot: Parte ancha del lomo alto y algo rica en grasas.

Tournedó: Se conoce también como “redondo” y se utiliza cocido y presentado posteriormente en rodajas.

Filete: La carne denominada extra.

Solomillo: Igual que el filete pero se presenta en rodajas más gruesas y generalmente se come poco hecho.

Carne picada: Proporciona las mismas proteínas que cualquier carne, aunque hay que procurar que no contenga tocino de cerdo o despojos.

Escalope: Carne cortada a trozos y generalmente guisada con salsa.

RESUMEN

La longevidad y la salud dependen esencialmente de tres factores: uno, comer alimentos procedentes de la tierra, preferentemente sin refinar; dos, vivir en contacto con la naturaleza; tres, intentar ser feliz.

Debemos consumir alimentos alejados de nuestra escala evolutiva, evitando la carne de mamíferos y aumentando el consumo de vegetales y semillas.

El agua es el elemento más esencial para la vida después del aire. Se deben beber casi dos litros al día y no se puede sustituir por ningún otro líquido, ni siquiera zumos de frutas.

El azúcar blanco es uno de los mayores enemigos de la salud, pero puede ser sustituido ventajosamente por azúcar integral, melazas, fructosa o miel de abejas.

La sal no se debe suprimir de los alimentos, pues es imprescindible para la salud al intervenir en numerosas funciones orgánicas vitales. En lugar de la habitual sal refinada hay que emplear sal marina integral rica en minerales y oligoelementos.

Los hidratos de carbono son el alimento más importante del ser humano. Su consumo debe ser muy superior al de las proteínas y las grasas, especialmente en los niños.

Las proteínas de la soja, el germen de trigo y las algas, tienen una utilidad neta muy superior a la de la carne, además de aportar otros nutrientes de igual importancia.

Es necesario aumentar la cantidad de grasas insaturadas presentes en las semillas, y disminuir las saturadas procedentes de la carne de mamíferos.

Todos los aceites de semillas son saludables, aunque el de germen del trigo y el de maíz poseen cualidades excepcionales.

EJERCICIOS DE AUTOEVALUACIÓN

1. ¿Es bueno para la longevidad el deporte competitivo? SI NO
2. ¿La leche es más saludable que el yogur? SI NO
3. ¿Las algas son más nutritivas que la carne? SI NO
4. ¿Se puede suplir el agua por zumos de frutas? SI NO
5. ¿Es beneficiosa la sauna después del ejercicio? SI NO
6. ¿Es saludable tomar zumos de frutas concentrados? SI NO
7. ¿Se puede beber el agua de la lluvia? SI NO
8. ¿Es recomendable beber agua mineral pobre en sodio? SI NO
9. ¿Contiene vitaminas el azúcar blanco? SI NO
10. ¿La caries está producida por una mala alimentación? SI NO
11. ¿La sacarina es un producto natural? SI NO

12. ¿La sal marina sirve para limpiar la dentadura? SI NO

13. ¿Las uvas son ricas en glucosa? SI NO

14. ¿Las proteínas están compuestas de aminoácidos? SI NO

15. ¿Es bueno mezclar grasas con hidratos de carbono? SI NO

16. ¿Son necesarias las grasas saturadas? SI NO

17. ¿Hay grasas insaturadas en el tocino? SI NO

18. ¿Se encuentra ácido Omega-3 en la merluza? SI NO

19. ¿El aceite de oliva contiene más grasas insaturadas que el de girasol? SI NO

20. ¿La margarina es de origen animal? SI NO

RESPUESTAS A LOS EJERCICIOS DE AUTOEVALUACIÓN

1. NO
2. NO
3. SI
4. NO
5. NO
6. NO
7. NO
8. NO
9. NO
10. SI
11. NO
12. SI
13. SI
14. SI

15. NO

16. SI

17. NO

18. NO

19. NO

20. NO

EXAMEN

Estas cinco preguntas no tienen una respuesta exacta, pues se trata de averiguar si has entendido los conceptos, no las definiciones.

1. Explica tu concepto sobre alimentación natural
2. ¿Por qué es tan esencial el agua para la salud?
3. Normas para alcanzar gran longevidad
4. Diferencia entre grasas vegetales y animales
5. ¿Qué tipos de azúcares son más saludables?

TEMA 9

LOS AMINOÁCIDOS

Un tren con muchos vagones

Reconstruyen nuestros tejidos gastados, producen reacciones químicas esenciales, transportan sustancias a todo el organismo y sin ellos las proteínas no servirían para nada, pues son su base estructural. Sin embargo, son grandes desconocidos para el público en general.

Imagínense que quieren construir un tren y para ello necesitarían indudablemente una máquina y algunos vagones. Éstos podrían ser grandes, pequeños, muchos o pocos, y hasta de color diferente, lo que daría lugar a trenes distintos según su número y características. De esta unión saldría una proteína específica (el tren ya formado), diferente a cualquier otra, y sus funciones serían, por tanto, también diferentes. Esa es la función básica de los aminoácidos: formar proteínas.

Una de las características que hace que nuestro organismo sea sensiblemente diferente a la mayoría de las especies, es que las proteínas que ingerimos deben desdoblarse en aminoácidos antes de ser absorbidas, lo que se conoce como hidrólisis. En ese momento atraviesan ya la pared intestinal en forma de aminoácidos, pasando al torrente sanguíneo desde donde llegan a todos los tejidos. Allí comienza otra labor inversa, pues se unen entre ellos para formar proteínas específicas, aquellas que cada parte de nuestro cuerpo necesita... siempre y cuando estén presentes todos los aminoácidos necesarios. ¿Cómo podemos saber entonces si estamos ingiriendo todos los aminoácidos que necesitaremos en cada momento? No es fácil, pues nos encontramos con un problema adicional, y es que no se acumulan como nutrientes de reserva. Así, aunque un día dispongamos de grandes cantidades de uno de ellos, por ejemplo Lisina, si no lo utilizamos en ese momento se perderá el exceso. Parece que estamos condenados a tener problemas con los aminoácidos, aunque ahora explicaremos algunas cosas que nos demostrarán que no es tan complicado.

Sabemos que el ser humano necesita 20 aminoácidos, a 8 de los cuales se les denomina esenciales, 2 semi esenciales, y el resto no esenciales. Bien, esta clasificación diferencial no es correcta, puesto que, a fin de cuentas, todos son necesarios para vivir. Lo que ocurre es que aquellos que denominamos como esenciales necesitamos ingerirlos diariamente con la dieta, mientras los otros los podemos sintetizar a partir de otros aminoácidos. Indudablemente si la dieta es manifiestamente errónea, no dispondremos ni de unos ni de otros.

Hay aminoácidos especialmente conflictivos, como por ejemplo el triptófano, la lisina y la metionina, habitualmente no presentes en aquellas personas que llevan una dieta restrictiva a causa de enfermedades o ignorancia. El refinado de los cereales y la carencia de legumbres en la dieta es otra de las causas más habituales.

Las personas que llevan un régimen hipocalórico durante años para conservar el peso correcto, son el grupo que más carencias de aminoácidos padecen. Aunque consuman grandes cantidades de proteínas en forma de filetes o pescados a la plancha, la eliminación de los carbohidratos de su dieta ocasiona que las proteínas pasen a formar parte de la cadena energética, no pudiéndose transformar en aminoácidos. Al no existir estos elementos, no se podrán formar nuevas proteínas. ¿Deberíamos entonces tomar todos los días grandes cantidades de proteínas o aminoácidos? Tampoco sería correcto, porque este exceso daría lugar a la formación de grandes cantidades de urea y ácido úrico, ocasionando serios problemas en el hígado, articulaciones y riñones.

Así que parece que nos encontramos con un problema difícil de solucionar, ya que cuando una persona que tiene delante de sí un apetitoso plato de comida le resulta totalmente imposible averiguar si dispondrá de todos esos elementos considerados indispensables. De nuevo vamos a recordar una recomendación esencial: hay que comer variado, preferentemente alimentos no refinados procedentes de la tierra.

¿Son necesarios los suplementos de aminoácidos?

En las dietas restrictivas de los celíacos o los afectados por intolerancias alimenticias crónicas, existe siempre la duda de que puedan tener carencias múltiples de nutrientes, entre ellos de ciertos aminoácidos. Al igual que se suplementa la dieta con ciertas vitaminas, ácidos grasos o minerales, he aquí una relación de los aminoácidos que los expertos en nutrición recomiendan a estos enfermos:

Taurina

Es un aminoácido no esencial en cuya composición entra a formar parte el azufre. Difiere de la mayoría de los otros aminoácidos en que no se incorpora a las proteínas, existiendo por ello como un aminoácido libre en la mayoría de los tejidos animales, siendo más abundante en el músculo, las plaquetas, y en el sistema nervioso en desarrollo. Se emplea preferentemente en niños para el buen desarrollo intelectual, la potencia muscular y la visión. En adultos mejora las funciones endocrinas en general, siendo un factor de tolerancia hacia la glucosa y evita la degeneración cerebral en la vejez.

Fenilalanina

La forma L-Fenilalanina se encuentra en grandes cantidades en el cuerpo humano, casi siempre unida a otras sustancias que también intervienen como neurotransmisores. Por ello, este aminoácido ejerce una importante función para regular la presión arterial y el consumo de oxígeno, los niveles de glucosa en sangre, las pulsaciones cardíacas, el metabolismo de los lípidos y el buen funcionamiento del sistema nervioso y cerebral. Parece ser que ejerce una labor vital en la memoria y la agudeza mental, así como en los reflejos autónomos de defensa.

Se emplea para regular los cambios del humor, controlar el apetito excesivo y ayudar a la pigmentación cutánea.

En los ancianos mejora la agudeza mental y la memoria, colabora en la misión de los neurotransmisores, ayuda a formar el colágeno y la elastina, actuando, además, como antiinflamatorio en las enfermedades reumáticas.

Carnitina

No fue considerado un aminoácido importante hasta hace muy pocos años, cuando se descubrió su papel en las funciones cardíacas. Se sintetiza a partir de la metionina y la lisina en el hígado, estando presente en grandes cantidades en los tejidos musculares, también en el miocardio, en unión al hierro y la vitamina C, comprobándose que una deficiencia de carnitina provocaba dificultad en el aprovechamiento de las grasas como materia energética.

A nivel popular se emplea como energético en deportistas, para ayudar a adelgazar al contribuir al empleo de las grasas de reserva como materia energética, así como para asegurar la continuidad de las contracciones cardíacas en situaciones deficitarias, al mismo tiempo que evita la acumulación posterior en el tejido adiposo de la grasa no utilizada.

Triptófano

Es uno de los aminoácidos esenciales más importantes de todos, no solamente en la formación de proteínas específicas, sino en su papel sobre los neurotransmisores. Además, es el único aminoácido junto a la L-Glutamina, que es capaz de atravesar la barrera hemato encefálica y llegar activo al cerebro.

Es el precursor de diferentes neurotransmisores, entre ellos la serotonina, interviniendo en la calidad del sueño y la memoria, ayudando a mantener un buen humor.

Metionina

Aminoácido esencial empleado por su eficaz acción sobre el hígado, considerándosele como un buen antioxidante capaz de impedir los efectos tóxicos de los radicales libres.

Junto a la vitamina B-12 interviene en la síntesis de las proteínas, ayuda a desintoxicar los metales pesados, entre ellos el plomo, controla el colesterol, favorece el humor por aumentar la producción de endorfinas, siendo decisivo para el crecimiento de las uñas, pelo y en la regeneración cutánea.

Una vez cubiertas todas las necesidades, el exceso de aminoácidos es eliminado mayoritariamente a través de la orina (90%) y el resto se pierde con las heces y el sudor.

Cuando mezclamos legumbres con vegetales o cereales estamos consiguiendo proteínas de alto valor biológico y buen aprovechamiento.

TEMA 10

LAS VITAMINAS

Aunque se las incluye en un solo grupo atendiendo a su función, lo cierto es que constituyen un grupo heterogéneo de compuestos químicos, cada uno con características muy definidas. A pesar de que están presentes en los alimentos se diferencian sensiblemente de los bioelementos y de otros elementos orgánicos, igualmente imprescindibles para la salud, tanto en su utilidad como en la cantidad necesaria.

Tienen también propiedades diferenciales con otros nutrientes y algunas de ellas pueden incluso ser sintetizadas por el propio organismo, existir carencias aunque la ingesta sea correcta y hasta contar con antagonistas que impidan su acción.

A medida en que pasan los años de estudio sobre las vitaminas, las conclusiones en lugar de clarificarse poco a poco se complican cada vez más y los investigadores entran en fuertes y absolutas controversias, incluido algún premio Nobel, especialmente en su utilidad como elemento terapéutico a dosis altas, dejando a un lado su valor como nutriente esencial.

Sabemos que cada vitamina es el componente esencial de una coenzima, los cuales son esenciales para catalizar las reacciones químicas. Un ejemplo de ello lo tenemos en el fósforo, el cual en forma del nucleótido ácido fosfórico se une a una vitamina, generalmente del grupo B, para formar una coenzima, siendo misión básica de las vitaminas entrar en el metabolismo de los hidratos de carbono, proteínas y grasas para así producir energía.

Hay vitaminas solubles en agua y solubles en grasa.

Vitamina A

Retinol, y cuatro carotenoides (incluyendo beta caroteno. Liposoluble.

La deficiencia puede causar ceguera nocturna y queratomalacia (trastorno del ojo que resulta en una córnea seca)

Algunas buenas fuentes son: el hígado, el aceite de hígado de bacalao, zanahoria, brócoli, patata, la mantequilla, la col rizada, espinacas, calabaza, col rizada, algunos quesos, huevo, albaricoque, melón, la leche.

Vitamina B1

Tiamina

Hidrosoluble. La deficiencia puede causar beriberi, y síndrome Wernicke-Korsakoff.

Algunas buenas fuentes son: levadura, carne de cerdo, granos de cereales, semillas de girasol, el arroz integral, el centeno de grano entero, espárragos, col, coliflor, patatas, naranjas, hígado y huevos.

Vitamina B 2
Riboflavina.
Hidrosoluble. La deficiencia puede causar arriboflavinosis.
Algunas buenas fuentes son: espárragos, plátanos, caquis, okra, acelgas, queso fresco, leche, yogur, carne, huevos, pescado, y frijoles verdes.

Vitamina B3
Niacinamida, niacina.
Hidrosoluble. La deficiencia puede causar la pelagra.
Algunas buenas fuentes son: hígado, corazón, riñón, pollo, carne de res, el pescado (atún, salmón), leche, huevos, aguacates, dátiles, tomates, verduras de hoja verde, brócoli, zanahorias, batatas, espárragos, nueces, granos enteros, legumbres , hongos y levadura de cerveza.

Vitamina B5
Ácido pantoténico
Hidropsoluble. La deficiencia puede causar parestesia.
Algunas buenas fuentes son: carnes, cereales integrales, brócoli, aguacate, jalea real, los ovarios de peces.

VitaminaB6
Piridoxina, piridoxamina, piridoxal.
Hidrosoluble. La deficiencia puede causar anemia , periférica y neuropatía.

Algunas buenas fuentes son: carnes, plátanos, cereales integrales, verduras y frutos secos.
Cuando se pasteuriza la leche pierde alrededor de la mitad de su B 6. La congelación y el enlatado también pueden reducir el contenido.

Vitamina B7
Biotina
Hidrosoluble. La deficiencia puede causar dermatitis, enteritis.
Algunas buenas fuentes son: yema de huevo, hígado, algunas verduras.

Vitamina B9
Ácido fólico, ácido folínico.
Hidrosoluble. La deficiencia puede causar deficiencia de embarazo relacionado con defectos congénitos
Algunas buenas fuentes son: verduras de hoja verde, legumbres, hígado, levadura de panadero, algunos productos de granos enriquecidos, semillas de girasol. Varias frutas tienen cantidades moderadas, como lo hace la cerveza.

Vitamina B12
Cianocobalamina, hidroxicobalamina, Metilcobalamina.
Hidrosoluble. La deficiencia puede causar anemia megaloblástica.
Algunas buenas fuentes son: pescado, mariscos, carne, aves, huevos, leche y productos lácteos.

Algunos cereales fortificados y productos de soya, así como la levadura nutricional fortificada.

Vitamina C

Ácido ascórbico.

Hidrosoluble. La deficiencia puede causar anemia y escorbuto.

Algunas buenas fuentes son: frutas y verduras. La ciruela Kakadu y el fruto de camu camu tienen el contenido más alto de vitamina C de todos los alimentos. El hígado también tiene vitamina C.

Vitamina D

Ergocalciferol, colecalciferol

Liposoluble. La deficiencia puede causar raquitismo, osteomalacia.

Buenas fuentes: se producen en la piel después de la exposición a la luz ultravioleta B del sol o de fuentes artificiales. También se encuentra en los peces grasos, huevos, hígado de res y los champiñones.

Vitamina E

Tocoferoles, tocotrienoles.

Liposoluble. La deficiencia es poco común. Puede causar anemia hemolítica leve en recién nacidos. Abortos.

Algunas buenas fuentes son: el kiwi, las almendras, aguacate, huevos, leche, nueces, vegetales de hojas verdes, aceites vegetales sin calefacción, germen de trigo, cereales integrales.

Vitamina K
Filoquinona, menaquinonas.
Liposoluble. La deficiencia puede causar sangrado y osteoporosis.
Algunas buenas fuentes son: verduras de hoja verde, aguacate, kiwi. El perejil contiene mucha vitamina K.

TEMA 11

Alimentos especiales

FERMENTOS LÁCTICOS

Desde hace muchos de años se sabe la importancia que tienen los bacilos intestinales en la digestión y el mantenimiento de una flora intestinal en buen estado y libre de putrefacciones. El Yogur y el Kéfir, entre otros, basan su gran difusión mundial gracias a que contienen en gran cantidad estos bacilos.

Sin embargo, hay un elemento, el ácido dextrógiro, que es el mayor responsable de crear el medio adecuado para que estas bacterias intestinales puedan realizar su labor fermentativa. Mediante este ácido las bacterias consiguen una gran velocidad en su crecimiento y pueden conseguir que la digestión se realice correctamente.

Los grupos de bacilos mejor estudiados son:

LACTOBACILLUS ACIDOPHILLUS

Unos microorganismos anaerobios (no precisan aire para vivir), los cuales necesitan unas condiciones óptimas en el sistema digestivo para cumplir su misión, entre ellas un peristaltismo intestinal adecuado, una alimentación equilibrada en ácidos y alcalinos y los jugos gástricos adecuados.

Pero aún dándose todas las circunstancias favorables para su desarrollo otros factores pueden limitarles su supervivencia, especialmente los antibióticos y el estrés.

Los lactobacillus acidophillus fermentan la glucosa y producen ácido láctico que favorece su desarrollo e impide simultáneamente el crecimiento de otras bacterias no útiles que suelen ser las responsables de putrefacciones y sustancias tóxicas.

El ácido láctico que se extrae de la leche agria se produce a expensas del azúcar en su fermentación por el bacilo láctico, aunque también producirlo azúcares de otra procedencia.

Con una presencia de lactobacilos adecuada se logran estas funciones tan esenciales:

Actuación en el metabolismo de los carbohidratos, proteínas y grasas, favoreciendo su degradación en sustancias asimilables.

Mejor digestión de la fibra presente en los alimentos hasta el punto de que se puede llegar a utilizar como elemento energético.

Mayor facilidad para sintetizar vitaminas hidrosolubles, en especial la totalidad del **complejo B** y la vitamina liposoluble K.

Es esencial para la maduración de la hemoglobina por su acción sobre la formación de vitamina B-12 y ácido fólico.

Disminuye el pH intestinal y con ello favorece la asimilación del **calcio**.

Evita la formación de bacterias patógenas y con ello las infecciones intestinales y las ***diarreas***. Ello se logra gracias a la producción de sustancias como colicinas, microcinas y bacteriocinas.

Controla los niveles elevados de colesterol y elimina el ácido úrico.

Evita la proliferación de hongos como el cándida albicans.

Estimula el **sistema inmunitario**.

Controla las alergias y la liberación de la histamina.

Evita la formación de úlceras gastroduodenales.

Contribuye a mantener un **peristaltismo** intestinal correcto.

Evita la formación de ***gases*** intestinales y putrefacciones que dan lugar a mal aliento.

BIFIDOBACTERIUM BIFIDUM

Aunque la publicidad hace hincapié de que con su consumo se logra un aumento en la capacidad defensiva del organismo, los organismos sanitarios no están totalmente de acuerdo y ya no permiten que se haga publicidad en ese sentido.

Según sus fabricantes, estos bacilos poseen una buena capacidad como antagonistas de las posibles bacterias patógenas intestinales, quizá por su capacidad para producir ácido láctico, acético y diversas sustancias antibióticas menores. Por ello es posible que su acción enzimática sea capaz de eliminar sustancias tóxicas generadas dentro de nuestro organismo, como es el caso del amoníaco o las nitrosaminas.

Al igual que con el yogur clásico, se debe tomar cuando se ingieran antibióticos, en presencia de ***diarreas*** suaves y siempre que queramos favorecer la absorción de vitaminas.

Es la presentación de yogur más adecuada para niños pequeños, los cuales toleran peor aquellos que tienen demasiado ácido láctico.

Cada cucharita suele contener 350 millones de microorganismos vivos.

LACTOBACILLUS PLANTARUM Y CASEI

Se suelen encontrar en mayor cantidad en el Kéfir y toleran un pH muy bajo, generando una gran cantidad de ácido láctico.

STREPTOCOCCUS THERMOPHILUS

Favorecen el crecimiento de otros lactobacilus y por ello potencian la acción antimicrobiana. Por su contenido en lactasa favorecen la digestión de la leche, por lo que son útiles en casos de pequeñas intolerancias.

Estos bacilos hidrolizan la lactosa que contiene el suero, la desdoblan en glucosa y galactosa, generando ácido láctico. Las proteínas solubles del suero láctico, como es el caso de las albúminas y globulinas, son gradual y parcialmente escindidas en fracciones pépticas más pequeñas, degradándose finalmente en aminoácidos.

Esto permite que todas las vitaminas hidrosolubles de la leche se conserven inalteradas en este suero láctico fermentado, así como las sales minerales que forman entre todos complejos hidrosolubles.

La acidificación de este medio líquido impide el desarrollo de bacterias patógenas y aporta por ello una serie de virtudes medicinales.

APLICACIONES

De una manera especial se recomienda tomar cualquier componente que contenga estos lactobacilus cuando se den algunas de estas patologías:

Diarreas y enterocolitis.

Ingestión de **antibióticos** y sulfamidas.

Cuando exista avitaminosis del grupo B o anemias.

Cuando se den dispepsias, gases intestinales y putrefacciones.

En las alergias alimentarias.

Como dieta única en caso de ***enfermedades febriles***.

Como alimento en caso de obesidad. Tiene un bajo contenido calórico y contribuye a calmar el apetito desmesurado.

En casos de artrosis, ***osteoporosis*** y otras descalcificaciones.

En el ***estreñimiento*** crónico.

Mejorar las funciones hepáticas.

En el acné y como depurativo.

En presencia de úlceras duodenales.

Como preventivo del cáncer de colon y para conseguir mayor longevidad.

Cuando se ingieran alimentos poco saludables o que sospechemos puedan estar contaminados por elementos químicos.

En casos de gota, arteriosclerosis y colesterol elevado.

En infecciones por hongos.

Para eliminar el mal olor corporal.

En el ***colon irritable***.

En afecciones de piel como el eccema y la psoriasis.

En cistitis.

En el síndrome de mala absorción.

Mejor absorción de la glucosa y galactosa.

Aumento en el contenido de aminoácidos libres, globulinas y lactoalbúminas.

Puede emplearse también tópicamente, diluido en agua, en afecciones de piel como eczemas, psoriasis, herpes y hongos. También es eficaz para lavados en casos de acné, caída del cabello y como desinfectante en heridas y erosiones de piel. Alivia las varices y tiene efectos cicatrizantes.

Mezclado en ensaladas, una cucharada de jugo, mejora el sabor y su digestibilidad.

LEVADURA LÁCTICA

La levadura láctica está compuesta esencialmente por microorganismos de la especie Saccharomyces fragilis cultivada en sueros lácticos muy puros. Ello le confiere unas propiedades a caballo entre los **vegetales y la leche**, aprovechando los nutrientes de ambos, en especial las proteínas. En este tipo de levadura los aminoácidos tienen una distribución diferente, similar a la que existe en el ser humano, y, por tanto, algo más asimilable que las otras variedades. Su gusto obviamente también es diferente, no es amargo, y recuerda al de la leche.

La presentación comercial es en escamas con un aspecto similar al queso rallado y por ello se pueden aderezar ensaladas, caldos, verduras y pastas italianas, aunque también hay quien la emplea untando los bocadillos. Aunque su sabor puede extrañarnos la primera vez que lo comemos, es muy agradable.

Debemos evitar someterla a la acción del calor ya que destruiríamos la mayoría de sus propiedades.

Composición:

Es **dos veces** más rica en proteínas que la carne y contiene hasta 10 veces más cantidad de ácido nicotínico, aunque es bastante pobre en el aminoácido lisina.

Posee grandes cantidades de vitamina C, B-1 y B-2.

Utilidad:

Se emplea para cualquier persona que necesite un suplemento nutritivo a su dieta, en especial los ***convalecientes***, ***deportistas*** y ***embarazadas***. Se puede emplear en los regímenes de adelgazamiento, ya que no engorda ni aumenta el nivel de glucosa en los diabéticos.

LEVADURA DE CERVEZA

Conocida desde hace más de cinco mil años, se utilizaba ampliamente en Mesopotamia y Egipto como bebida refrescante y nutritiva. Sus resultados fueron tan satisfactorios que se aplicaba en numerosas enfermedades como medicamento exento de efectos secundarios.

En el siglo XIX, Louis Pasteur investigó sobre ella y la encontró rica en microorganismos de apenas una micra, los cuales clasificó como hongos con capacidad para fermentar líquidos.

Uno de estos hongos, el Saccharomyces cerisae, es el más activo de todos y su siembra fermentará rápidamente si se hace en un medio estéril.

Una vez detenida la fermentación, la levadura será tratada para conservar sus cualidades vivas y se lavará en agua fría para su posterior secado con aire rico en oxígeno.

Cuando finalice este proceso guardará sus cualidades alimentarias durante casi 18 meses, pudiendo llegar a contener hasta 33 mil millones de células vivas por gramo. El resultado es un producto de color amarillo-dorado, en forma de escamas, y que previamente desamargado tiene agradable sabor.

Existe en el mercado levadura de cerveza desamargada de buen sabor, así como cápsulas y comprimidos para aquellas personas que no les gusta su peculiar sabor.

Composición

(Por 100 gramos)

Prótidos:

45 gramos, con una riqueza en aminoácidos esenciales importante que le confieren un valor biológico de 80 y una disponibilidad superior incluso a la leche.

Entre los aminoácidos que contiene están: arginina (2,7), lisina (3,5), histidina (1,3), treonina (2,8), fenilalanina (2,4), triptófano (0,8), leucina (3,7), isoleucina (2,1), valina (2,4).

Un factor, de entre otros muchos, que hace que la levadura de cerveza sea un alimento extraordinario, es que los 23 aminoácidos que contiene se ingieren al mismo tiempo, en un plazo no superior a tres horas, salvo los ocho esenciales que se absorben poco a poco.

Hidratos de carbono:

35 gramos, los cuales suministran energía inmediata si la levadura tiene rota su pared de celulosa a causa de un secado correcto.

Lípidos:

2 gramos, con una proporción de grasas saturadas-insaturadas de 7 a 1 en favor de las insaturadas.

Vitaminas:

Se considera a la levadura de cerveza como la fuente de vitaminas más importante que tenemos y entre ellas se encuentran la B-1, B-2, ácido nicotínico, ácido pantoténico, ácido para-aminobenzoico, B-6, inosina, biotina, ácido fólico, vitamina H, algo de B-12 y D2.

Las bacterias intestinales que fabrican otras vitaminas del grupo B (se conocen cerca de 30, de las cuales apenas sabemos su acción completa), necesitan todas del ácido pantoténico para poder cumplir su misión.

También han constatado que la cantidad de bilis indispensable depende de la cantidad de vitamina B-12 abastecida mediante el aporte alimentario. Esta misma deficiencia de bilis provoca a su vez carencias de vitaminas liposolubles (E, K, F y A.)

Supongamos que nos esmeremos en encontrar periódicamente nuestras vitaminas B-2 y B-1. Si la aportación de estas es insuficiente para la formación de algunas enzimas indispensables para la asimilación de azúcares y féculas, podemos decir que nuestros esfuerzos son vanos. Una baja en la producción de enzimas ricos en niacina provocaría una asimilación defectuosa de vitaminas B-1 y B-2.

En definitiva, tomar aisladamente vitaminas del grupo B ni nos puede asegurar su absorción ni queda asegurada la ausencia de efectos secundarios.

Las vitaminas deben ser tomadas tal y como se encuentran en los alimentos, esto es, conjuntamente y en las proporciones que el organismo puede asimilar.

Parece ser, además, que las vitaminas sintéticas no pueden pretender la sustitución de las combinaciones naturales ideales de vitaminas y proteínas, ya que para ello se requieren una cantidad grande de elementos, muchos de ellos contenidos en cantidades ínfimas, los cuales deben acompañar siempre a cualquier vitamina.

Utilizar, por tanto, alimentos naturales como la levadura de cerveza, es la mejor manera de asegurarnos nuestra ración diaria de vitaminas.

Otros nutrientes

Además de la riqueza en vitaminas y aminoácidos esenciales, la levadura de cerveza posee un contenido alto de minerales y oligoelementos que son igualmente indispensables; participando junto a los demás nutrientes en la provocación de reacciones fisiológicas que asegurarán una asimilación perfecta de todos los alimentos.

Se han encontrado cantidades considerables de sodio, magnesio, hierro, zinc, fósforo, yodo y cobre. Lo mismo que los demás elementos, estos minerales se encuentran en las proporciones adecuadas para no causar daños por exceso y, lo más importante, unidos entre sí y otros nutrientes que le aseguran su absorción.

Propiedades

Las acciones beneficiosas de la levadura de cerveza son muy extensas, entre las que destacamos:

La regeneración de la **flora intestinal** alterada por los antibióticos, toxinas o deficiencias nutritivas.

Protección al hígado y la vesícula biliar aumentando su capacidad de expulsar bilis.

Acción antimicrobiana especialmente en el aparato digestivo.

Estimulación de la glándula tiroidea.

Purificación de la sangre y regeneración celular.

Mejor defensa contra las agresiones exteriores y tóxicas.

Efecto rejuvenecedor en la **piel**, pelo y uñas.

Aumento del tono y desarrollo muscular.

Restablecimiento de las funciones glandulares deprimidas.

Como restaurador de la piel en enfermedades como el acné, las úlceras eczemas y cicatrices.

En prostatitis, varices, hemorroides y enfermedades circulatorias.

Como suplemento energético en **deportistas**.

Para mejorar la hipertensión, la pérdida de memoria y las enfermedades hepato-biliares.

Como suplemento nutritivo en diabetes y *diarreas*.

Para mejorar el ***estreñimiento***.

En cualquier problema de tipo nervioso, como ansiedad, irritabilidad o nerviosismo.

La levadura de cerveza se debería tomar después de un tratamiento con antibióticos

No obstante estas cualidades, hay que tener en cuenta que el aprovechamiento digestivo de las levaduras no es perfecto, ya que los jugos gástricos no pueden atacar y disolver con eficacia la membrana celulósica externa que recubre a la levadura. Para que esto no ocurra la mayoría de los laboratorios provocan la ruptura de esta capa externa mediante el simple hecho de secarla, por lo que es normal que los envases contengan la indicación de "levadura seca". De esta manera su absorción llega ya al 95%, al menos en cuanto a su contenido en proteínas, ya que las vitaminas se pierden parcialmente en este proceso.

Hay empresas que comercializan una forma llamada "levadura viva", la cual parece ser que contiene las ventajas de la seca -no existe la capa celulósica- pero los microorganismos están todavía activos.

LEVADURA DE TORULA

Empleada ampliamente hace algunos años, en la actualidad no pasa de ser un producto exótico en las tiendas de régimen, sin una causa que justifique tal abandono por parte del consumidor.

Se extrae a partir de los jugos de la **pulpa de la madera**, por lo que su coste de elaboración y comercialización es bajísimo, tanto como el de la levadura de cerveza.

Su sabor es más agradable, incluso sin manipular o desamargar, y puede tomarse en comprimidos o directamente en polvo, espolvoreando los alimentos.

Composición

Tiene una riqueza en proteínas del 55% y contiene cantidades altas de hierro y vitamina B-1, además de un 5% de grasas insaturadas, un 25% de carbohidratos y un 7% de cenizas.

Utilidad:

Se emplea de manera similar a las otras levaduras como tratamiento complementario en **dietas energéticas** y como aporte proteico en deportistas y embarazadas.

VINAGRE DE MANZANA

Conocido también como vinagre de sidra, es una alternativa natural al vinagre de vino.

Se elabora mediante un proceso de oxidación provocado por microorganismos del género Acetobacter (Mycoderma aceti), los cuales transforman por fermentación ácida el alcohol presente en la sidra en un líquido agrio y astringente.

El vinagre de manzana que encontramos de buenas marcas se fabrica siguiendo el mismo sistema, ya que la bacteria Mycoderma Aceti es capaz de avinagrar cualquier bebida que contenga alcohol, conservando, además, todas las propiedades nutritivas y saludables del producto original, en este caso la manzana. Por ello, cualquier producto que pueda sufrir una fermentación alcohólica puede transformarse fácilmente en un vinagre.

Esta fermentación trae como consecuencia la producción de glicerina, aldehídos y ácido succínico, además de algunos ésteres orgánicos, que mezclados con el ácido málico, las peptinas y el potasio de la manzana, dan como resultado una bebida altamente saludable y hasta nutritiva.

El vinagre de manzana puede emplearse como el tradicional vinagre de vino, especialmente en ensaladas, pero también como una bebida refrescante y depurativa. Para ello se mezclan una parte de vinagre con diez de agua, aunque en niños se disolverá una cucharada de vinagre en un vaso de agua y algo de miel. El resultado es una bebida exquisita.

El vinagre de manzana no solamente es un agradable ingrediente para ensaladas, sino una bebida refrescante y saludable

Composición

Además de los nutrientes propios de la manzana, se han encontrado cantidades altas de magnesio, sodio, calcio, potasio, azufre, cloro, hierro, sílice y flúor.

Aplicaciones:
Juntamente con su efecto **refrescante** y **depurativo**, se emplea como ligero **laxante** y para corregir las

fermentaciones pútridas estomacales, ya que su acidez las neutraliza.

Su aporte extra de **potasio** es muy adecuado para personas que toman medicamentos diuréticos, para aquellas que padecen de retención de líquidos, en casos de agotamiento, enfermedades cardíacas y para evitar el endurecimiento de la pared arterial.

También contribuye a eliminar el endurecimiento de los nódulos linfáticos.

TOFU

No es la primera vez que la **soja** ocupa un lugar de privilegio en la alimentación humana ya que se trata de una leguminosa que aporta más ventajas alimentarias que la mayoría de los productos cárnicos e incluso que muchos vegetales de gran popularidad. En igualdad de condiciones, una plantación de soja proporciona más proteínas que cualquier otro cultivo, contando además con la ventaja de que se aprovecha toda, en especial su aceite.

Composición

El tofu es un alimento que contiene, entre otros nutrientes:

Proteínas:

Un 10,6%, siendo especialmente rico en **lisina**, un aminoácido esencial que interviene especialmente en el crecimiento. Si lo combinamos con los cereales tendremos ya una fuente de proteínas del más alto valor biológico.

Grasas:

Un 5,3% de ácidos grasos insaturados, un 5% en ácido linoleico y un 15% en grasas saturadas, proporciones adecuadas para la alimentación humana. También contiene lecitina, lo que contribuye a eliminar los posibles depósitos de colesterol y a movilizar las grasas corporales.

Cenizas:

Un 1% entre las que están incluidas las siguientes cantidades de minerales por cada cien gramos de producto:

Hierro: 2,5 mg.

Fósforo: 109 mg.

Calcio: 160 mg.

Sodio: 7 mg.

También hay cantidades importantes de vitaminas del grupo B y algo de E.

Aplicaciones:

Es un alimento extraordinario para dietas bajas en **colesterol** y que no contenga toxinas. Los cultivos de soja normalmente no sufren las agresiones por productos químicos ni contaminantes que otras plantaciones. Por ello, el Tofu es también un alimento para aquellas personas preocupadas por llevar una alimentación y vida saludable y que, al mismo tiempo, necesiten un alimento fácil de diferir y muy nutritivo.

Aún siendo un alimento extraordinario, no es fácil encontrar en el mercado productos elaborados con Tofu, salvo en tiendas de comida china.

KÉFIR

Esta leche fermentada artificialmente y que contiene ácido láctico, alcohol y ácido carbónico, es un producto tradicional de la zona del Cáucaso, elaborado a partir de la leche, quizá en un intento de conservar durante más tiempo tan completa bebida.

El Kéfir fue investigado posteriormente en Alemania por los doctores Drasek, Brunwic y Menkiw, quienes descubrieron que mediante la fermentación de la leche con distintas levaduras y bacilos (Bulgaricus, Leuconostoc Caucasiano y Sacharomices Kephir), se conseguía hacer soluble la caseína mediante las diastasas. Al mismo tiempo, los carbohidratos eran degradados por la lactosa y por ello más asimilables por el ser humano.

El resultado de la incorporación de los granos de Kéfir a la leche produce un nuevo alimento más agrio que es capaz de mejorar la **flora intestinal**, hasta el punto de eliminar las bacterias patógenas que pudieran existir.

Mediante su presencia se sustituyen las bacterias indeseables por bacilos lácticos con propiedades bactericidas muy potentes, los cuales segregan una sustancia que evita que se pudran en el intestino los restos de alimentos, bacterias o tóxicos.

Esta acción mejora las propiedades digestivas de la pectina y con ello facilita los procesos digestivos propios de esta enzima, ampliándose su efecto a todo el aparato digestivo, incluido el estómago.

El resultado final es una mejor digestión en general, mejor asimilación de nutrientes, un aumento de la tolerancia y digestibilidad de la leche -incluso en personas que hasta entonces manifestaban alergia a la lactasa- y un efecto antibacteriano e incluso antivírico digno de tener en cuenta cuando exista una infección intestinal.

Lo que el Kéfir logra es restablecer las propiedades del intestino humano al mismo nivel que tenía cuando nacimos, con gran cantidad de estreptococos lácticos y lactobacilos, de naturaleza anaeróbica y aeróbica, los cuales producen un pH 5 que impide la proliferación de bacterias patógenas.

Estas modificaciones logran que los adultos, quienes mayormente no toleran la leche de vaca cruda, puedan volver a digerirla sin problemas y aprovechar sus cualidades nutritivas casi completas.

Por ello el Kéfir es muy recomendable a partir de los 10 años, edad en la cual comienzan a perderse los enzimas que logran cuajar en el intestino la leche y degradar así la caseína.

También se consigue liberar peptonas al coagularse la caseína, con lo cual la digestión de la leche queda casi completa sin necesidad de ninguna ayuda interna. Finalmente, se desdobla la lactosa en un monosacárido formando ácido pirúvico.

Aunque mucha gente considera que da lo mismo consumir yogur o Kéfir, e incluso piensan que ambos productos son iguales, existen ciertas diferencias notables, aunque no por ello hace a ninguno mejor.

En el Kéfir se produce una fermentación alcohólica, mientras que en el yogur es láctica, lo que ya da como resultado inicial un producto más sólido que el otro como resultado de cuajarse la caseína (yogur) o hacerse soluble (kéfir).

Aplicaciones

El resultado de mejorar la digestión de le leche no consiste solamente en que los adultos puedan tomarla de nuevo sin problemas como cuando eran pequeños, sino en que con esta fermentación ácida se consiguen una serie de ventajas de sumo interés, entre ellas:

Un aumento de la **longevidad** a causa de mantener una flora intestinal muy eficaz y sana, la cual nos asegura una digestibilidad de los alimentos casi perfecta, al mismo tiempo que asimilamos los nutrientes mucho mejor y en mayor cantidad.

- Una mayor protección contra enfermedades digestivas, como la úlcera gastroduodenal y otras degenerativas como el cáncer de colon, aunque en este caso solamente podemos hablar de **prevención,** pues una vez declarado no existen pruebas de que su ingestión pueda modificar la patología adversa.

- Regularización de los movimientos peristálticos, hasta el punto en que puede ser un eficaz **laxante** en casos de estreñimiento y un **astringente** si existe diarrea.

- Como estimulante del apetito tomado en el desayuno.

- Para mejorar la digestión de alimentos grasos o cárnicos e impedir que se generen putrefacciones y con ello gases y eructos molestos.

- El kéfir ayuda a prevenir las intoxicaciones alimentarias en épocas de calor o en lugares turísticos de poca higiene.

- Ayuda a combatir los hongos intestinales e incluso se puede utilizar de manera local para lavados de piel o vagina. También se recomienda contra el herpes labial o vaginal.

Hay quien asegura que sirve también para combatir una larga lista de enfermedades como estas: esclerosis múltiple, infartos cardiacos, prostatitis, artritis reumática, anemia, alergias, asma, trombosis, enfermedades venosas y hasta la sífilis, la diabetes y la esquizofrenia.

Aunque en principio hay que dudar de estas aseveraciones y pensar que son fruto de experiencias personales solamente o quizá de la propaganda, dado que la ingestión de Kéfir es totalmente inocua y saludable, no existe ningún inconveniente en tomarlo cuando se padecen alguna de estas enfermedades.

Preparación casera

No intente conseguir Kéfir comercializado ya que apenas existe, al menos de manera generalizada. Si no sabe como conseguir ese nódulo blanco cremoso, del tamaño de una patata, que son los granos de Kéfir, podrá intentarlo buscando alguna persona que ya lo elabore habitualmente o acudiendo a algún herbolario que lo venda fresco y recién hecho. Con un poco de suerte quizá lo encuentre.

Una vez hallada tan preciada presa, lo colocará dentro de un frasco de cristal con cierre hermético junto a leche de vaca pura, mejor sin hervir, ya que la leche comercializada al haber sido sometida a la acción del calor pierde las posibles sustancias curativas que deberá poseer posteriormente el Kéfir.

De todas formas y a no ser que viva en un pueblo con vacas pastando, no creo que consiga leche tan fresca y se tenga que conformar con la leche comercializada, aunque ello suponga perder algunas de las virtudes curativas.

Ya tenemos el bote lleno hasta las tres cuartas partes de su volumen, bien cerrado para que no le entre aire y así cada 24 horas podemos ya extraer el líquido y tomarlo directamente (o guardarlo en nevera sino queremos consumirlo inmediatamente), al mismo tiempo que le volvemos a añadir leche para que tengamos nuevo Kéfir dispuesto. En el supuesto de que no añadamos leche continuamente el nódulo de Kéfir se estropea y necesitaremos encontrar otro.

Cada 15 días lavaremos esta bola en agua limpia junto con el frasco y como se irá haciendo cada vez mayor es el momento de partirlo y entregar la mitad a otra persona que lo necesite, siendo este el motivo por el cual es fácil encontrar alguien que le regale un trozo.

LECITINA

La lecitina es un compuesto graso rico en **fósforo**, o más exactamente, tiene la composición de una grasa, solo que los ácidos que esterifican la glicerina están constituidos por un radical fosfato unido a una base de nitrógeno.

Se trata de un grupo de compuestos químicos que se encuentran en los tejidos vivos de los seres humanos y los animales, especialmente en los tejidos nerviosos y en los glóbulos rojos de la sangre. Está presente en el plasma sanguíneo y en los hematíes de la sangre.

También la podemos localizar en el cerebro, en el riñón, el hígado, el corazón y formando parte de la bilis.

La podemos encontrar en mayor cantidad en la **yema de huevo**, pero, además, abunda en los aceites de **soja**, de girasol, en el aceite de algodón, en el pescado, en el hígado y, por supuesto, formando parte de la estructura de todas las células orgánicas.

De aspecto parecido a la cera, pueden disolverse en alcohol o éter, y se emplea abundantemente como agente emulsionante en la margarina y otros alimentos. Las lecitinas comerciales se suelen elaborar a partir de semilla de soja.

Propiedades orgánicas

Tiene la facultad de ser emulsionante de las grasas, es decir, hace que las grasas sean ligantes con el agua. Con este proceso se establece una dispersión coloidal de partículas grasas en otro líquido, algo que podemos conseguir simplemente cuando preparamos mayonesa. Esta interesante propiedad de la lecitina favorece la digestión de las grasas, deshace los grumos y acúmulos de grasa y colesterol, favoreciendo, además, la penetración de estas sustancias al interior de las células y su consiguiente combustión.

La lecitina ayuda a digerir y tolerar mejor las grasas saturadas

Las grasas, gracias a la digestión estomacal, quedan convertidas en pequeñas gotitas, pero gracias a la bilis (sustancia segregada por el hígado desde donde fluye al duodeno) se transforman en gotas finísimas que formará una emulsión en el intestino. A partir de entonces actuará la enzima lipasa segregada por el páncreas, que es quien en realidad las desdoblará en glicerina y ácidos grasos.

La bilis es segregada justo en el momento en que llegan al estómago las grasas. Ahora bien, si la vesícula biliar funciona mal, o es insuficiente, la bilis no llega en el momento justo o en la cantidad requerida. Es entonces cuando las grasas no quedan divididas en esas partículas tan pequeñas, a pesar de que la lipasa pancreática tratará de dividirlas con su efecto enzimático y permitir así su absorción por la pared intestinal.

Por este motivo, las personas que tienen patologías hepáticas y no pueden metabolizar adecuadamente las grasas, tienen problemas digestivos frecuentes y deben eliminar las grasas saturadas de su dieta.

Aporte extra de lecitina

La lecitina y el **colesterol** de la sangre varían según la edad, teniendo una mayor concentración de lecitina los niños y personas jóvenes. Alrededor de los 20 años de edad se encuentra en mayor proporción y sólo sigue así en las personas sanas, pero en las personas con problemas circulatorios y biliares predomina el colesterol.

Para solucionar este problema hemos de aportar a nuestro organismo la cantidad de lecitina que va perdiendo con los años, sin olvidar, además, que es un componente de la membrana celular y su ingestión en el organismo se traduce en una acción rejuvenecedora.

Otra característica importante a tener en cuenta es que este compuesto es rico en **fósforo orgánico** de fácil asimilación, el alimento ideal para el cerebro. Todas las personas que desarrollan trabajos intelectuales tienen un desgaste mayor de fósforo que aquellas que realizan trabajos manuales, por lo que es muy recomendable que estas personas tomen lecitina a diario para proporcionar a su cuerpo el fósforo que pierden mediante su trabajo intelectual.

Debido a la particular constitución del cerebro y la médula espinal, es aconsejable que las mujeres embarazadas tomen suplementos de lecitina que aseguren el suficiente aporte de grasas poliinsaturadas y fósforo, indispensables ambos para la buena formación del bebé.

Como ya la publicidad se ha encargado de repetirnos, la lecitina es el mejor remedio natural para controlar el exceso de **colesterol**, al mismo tiempo que facilita la digestión de las grasas.

También moviliza las grasas depositadas en el tejido adiposo (por ello se le atribuyen propiedades adelgazantes), alimenta nuestro cerebro con **fósforo**, recompone la membrana celular y posee un ligero efecto rejuvenecedor.

COENZIMA Q

Después de varios años sin ser tenido en cuenta por los científicos, la Coenzima Q-10 empieza a considerarse como una pieza importante en la nutrición. Durante más de treinta años fue estudiado como una coenzima más, sin que se le encontrase propiedades especiales o interesantes.

Posteriormente, en los años 80, el auge de los suplementos energéticos y su aplicación en el deporte, sacó a la luz las importantes cualidades de esta coenzima. Se supo que era un compuesto esencial en el organismo como **productor de energía**, además de atribuírsele propiedades importantes en la prevención de la salud y la curación de enfermedades. También hay quien piensa que es útil como coadyuvante en el tratamiento del Sida, dato que no podemos confirmar.

Los especialistas en medicina natural están convencidos de que la Coenzima Q es un energético muscular que puede mejorar el sistema inmunológico, potenciar el corazón y normalizar las constantes sanguíneas.

La hipótesis de que la Coenzima Q es esencial para el organismo fue propuesta por un científico de la Universidad de Texas durante el año 1960, aunque por aquel entonces nadie le tuvo en cuenta. Aún hoy día hay muchos científicos que niegan cualquier propiedad especial a este compuesto.

Después de 1960 los japoneses comenzaron a investigar la Q-10 con buenos resultados. Sabiendo que cada célula corporal come y digiere ciertos productos que le llegan y que es capaz de conseguir su propia energía a partir de determinadas sustancias, encontraron que la Q-10 era una de ellas.

De la misma manera que un coche crea su propio poder para moverse, las células productoras de energía, en la mitocondria interna (una especie de subcélula dentro de la célula), se produce la energía y se distribuye posteriormente por todo el organismo. La Q-10 actúa en las células creando trifosfatos, unos compuestos fosforados que suministran energía a partir de pequeñas moléculas.

Sin la presencia de la Coenzima Q no habría vida celular y la transmisión de energía se apagaría.

El cuerpo humano necesita energía por encima de cualquier otra cuestión y la Q-10 es uno de los eslabones imprescindibles para producirla.

La Coenzima Q-10 entra normalmente a través de los alimentos que ingerimos, aunque son necesarias varias transformaciones para que pueda ser utilizada como eslabón energético.

Además, es muy fácil que la capacidad que tengan las personas para asimilar y metabolizar esta coenzima esté cada vez más disminuida, ya que, a fin de cuentas, las necesidades energéticas de los humanos cada vez son menores. Los aparatos nos están ayudando demasiado en nuestras labores.

Necesidades extras

Lo que todavía no ha quedado bien definido en los estudios científicos es si algunas personas necesitan o reaccionan mejor a la ingestión de dosis extras de Q-10.

El problema surge cuando queremos tomar gran cantidad de enzimas a través de la alimentación, ya que estos compuestos se encuentran en grandes cantidades en alimentos ricos en grasas saturadas y colesterol, por lo que podemos lograr un beneficio y un mal al mismo tiempo.

Afortunadamente, la Coenzima Q-10 se encuentra disponible en varios suplementos dietéticos comercializados y por lo que sabemos elevan rápidamente los niveles necesarios de la coenzima y nos permiten aprovechar sus virtudes y no soportar los inconvenientes de tomarlo a través de alimentos grasos.

También parece ser cierto que la facultad de que nuestro organismo produzca o utilice la coenzima declina con la edad y de su carencia se derivan algunas enfermedades. Mantener, por tanto, unos niveles altos de Coenzima Q-10 es necesario para nuestra salud.

Utilidades

Puede ser empleada en:

Para estimular el **sistema defensivo**.

Mejorar el aprovechamiento de oxígeno.

Mantener los niveles de glucosa en sangre en niveles óptimos.

Como **energético** en deportes de larga duración.

Ayudar al corazón en su misión de mantener la tensión arterial en niveles adecuados.

Corregir la ***disnea*** de los ancianos.

En la ***distrofia muscular*** y el bajo rendimiento físico.

Algunos investigadores lo emplean en: diabetes, obesidad, asma, angina de pecho y úlceras gástricas.

RESUMEN

La medicina natural basa su eficacia en el uso adecuado de las plantas medicinales y los complementos dietéticos, entre otros elementos, siendo ambos necesarios para el restablecimiento de la salud.

La diferencia con las plantas medicinales estriba en que los complementos o suplementos a la dieta son aun más inocuos que las propias plantas medicinales pues, en esencia, se trata simplemente de alimentos.

Aunque las experiencias con este tipo de sustancias no son tan milenarias ni cuentan con tanta abundante bibliografía, lo cierto es que precisamente por ser más recientes los estudios poseen una mayor solvencia.

De entre los productos dietéticos más importantes hay que destacar aquellos que provienen de las abejas, pues a ellas les debemos cuatro de las maravillas más importantes: la miel, el polen, la jalea real y el própolis.

EJERCICIOS DE AUTOEVALUACIÓN

1. ¿La miel pueden tomarla los diabéticos? SÍ NO
2. ¿La coenzima Q-10 la podemos ingerir con los alimentos? SÍ NO
3. ¿Se debe tomar yogur simultáneamente con antibióticos? SÍ NO
4. ¿Ayuda el yogur a curar las avitaminosis? SÍ NO
5. ¿El hígado de bacalao corrige las avitaminosis del grupo B? SÍ NO
6. ¿Es recomendable tomar jalea real en la diabetes? SÍ NO
7. ¿Ayuda la lecitina en la memoria? SÍ NO
8. ¿La mejor aplicación del própolis es como nutriente? SÍ NO

9. ¿Emplearías el própolis en una herida? SÍ NO
10. ¿El vinagre de vino es saludable? SÍ NO

RESPUESTAS A LOS EJERCICIOS DE AUTOEVALUACIÓN

1. NO, salvo que tengan un buen control de la glucemia por parte del médico.
2. SÍ, aunque se encuentra en alimentos ricos en grasas saturadas, por lo que es preferible emplearlo como complemento en forma de perlas o grageas.
3. SÍ, especialmente con aquellos que afecten seriamente la flora intestinal.
4. SÍ, especialmente del grupo B.
5. NO, pues su aporte es de vitaminas A y D
6. SÍ, pues se ha demostrado que rebaja las cifras de glucemia y colesterol en un 34%.
7. SÍ, pues su riqueza en fosfolípidos supone un aporte idóneo de fósforo orgánico.
8. NO, al ser su contenido en nutrientes es pequeño.

9. SÍ, ya que es un buen desinfectante y cicatrizante.
10. NO, (salvo que sea artesanal) y se debería cambiar por el de manzana.

EXAMEN

1. Explique la manipulación industrial que se le realiza a la miel
2. Utilidades de la coenzima Q-10
3. ¿Cuáles son los lactobacilos más empleados?
4. Explica porqué los lactobacilos poseen propiedades terapéuticas interesantes.
5. ¿El yogur tiene efecto laxante o astringente?
6. ¿Cuáles son las principales aplicaciones del hígado de bacalao?
7. Define por qué es tan importante la Jalea real
8. Propiedades de la lecitina
9. ¿Cuáles son los componentes mayoritarios de la levadura de cerveza?
10. Explica las principales utilidades del própolis

TEMA 12

PRODUCTOS DEL MAR

Objetivos de este tema

En esta lección se analizarán aquellos completos de la dieta procedentes del mar, básicamente las algas, que constituyen una reserva nutritiva y terapéutica sumamente importante. Incorporados a nuestra alimentación inicialmente como aditivos y detalles puramente exóticos, con su comercialización en comprimidos nos abren un nuevo camino de utilización.

1. EL MAR

El mar es el nombre genérico que define todas las aguas de los océanos y mares que cubren una gran parte de la superficie de la Tierra, básicamente de agua salada, aunque también se emplea para masas de agua dulce tierra adentro, como el mar de Galilea.

Los océanos de agua salada cubren unas tres cuartas partes de la superficie de la Tierra y la profundidad media es poco menor de 4.000 m. Cerca de tierra firme, el fondo marino se suele encontrar a poca profundidad, menos de 200 m, con pendientes suaves que emergen formando bancos costeros o islas. Estas zonas son las elegidas para la pesca, el ocio y la expulsión de las basuras, aunque la gran contaminación que genera obliga a buscar peces en aguas más profundas y lejanas. La vida marina está constituida básicamente por las plantas y animales marinos, desde los que habitan en la línea de pleamar a lo largo de la costa, hasta los que viven en las profundidades.

Los que habitan en el margen delimitado por las líneas de pleamar y bajamar tienen que adaptarse a un medio inhóspito impuesto por las subidas y bajadas de las mareas, además de los bruscos cambios de temperatura y el efecto de los vientos. Los que viven en las profundidades poseen características diferentes y entre ellos encontramos bentos (algas Kelp y animales como las ofiuras); necton, como los peces y las ballenas; y el plancton (fito y zoo), formado por diversos organismos diminutos o microscópicos que se mueven con las corrientes.

2. LAS ALGAS

Las algas, son un grupo de organismos como las plantas, pero estructuralmente simples, que producen oxígeno al realizar el proceso de la fotosíntesis.

En la posición más elevada de las rocas se encuentra una costra de algas **verde-azuladas**, un punto de transición entre el medio ambiente terrestre y marino que solamente se ve inundado durante las mareas. Estas algas están protegidas por una cubierta gelatinosa para combatir la desecación, mientras que por debajo de la zona blanca, y en algunos otros lugares, aparecen las algas marinas, elementos que carecen de raíces y se agarran a las rocas mediante una especie de zarcillos.

Las algas **pardas** alcanzan más de 2,5 m de longitud, siendo las más comunes las que poseen vesículas flotadoras, como fucales, con numerosas protuberancias en el talo que les permiten flotar. En la zona inferior, sólo al descubierto durante las mareas vivas, se encuentran las algas Kelp y Laminarias.

Características organolépticas

Abundan más que los vegetales terrestres, no requieren cuidados, ni siembra, ni condiciones especiales, y a pesar de que son ricas en sustancias nutritivas apenas son utilizadas para el consumo humano. Se diría que nos gusta más comer aquello que es complejo de elaborar, que se encuentra en pequeña cantidad y que solamente es privilegio de algunos.

Las algas marinas solamente tienen en su contra la sal presente en el agua donde habitan, pero una vez eliminada todo es cuestión de encontrar la manera adecuada de cocinarlas y hacerlas apetitosas.

Quienes dicen que no son agradables al paladar deberían recordar el sabor de la carne cruda, de los guisantes sin cocinar, del café sin azúcar o de las setas comidas in situ. Muchos de los alimentos que comemos solamente son agradables al paladar cuando los sometemos a algún proceso culinario; las algas, por tanto, no son una excepción y requieren un tratamiento adecuado.

Todavía no existe una larga tradición culinaria sobre las algas como poseen el resto de los alimentos y apenas existen recetas que nos aconsejen cómo cocinarlas.

Algunos pueblos costeros cocinan adecuadamente las algas desde tiempos ancestrales, y debemos recordar en este sentido al Japón, país que ha conseguido que se consuman ya de manera cotidiana en la mayor parte del mundo, aunque solamente como plato exótico o condimento saborizante. En otras regiones mediterráneas, Tarragona o Menorca, se suelen preparar algunos platos a base de algas, como la Letuza, que parece que tienen alguna aceptación popular, lo mismo que ocurre en Alemania con la variedad Algenbrot.

El día que nuestros comerciantes empiecen a darse cuenta del tesoro alimentario que tenemos en nuestras costas atlántica y cantábrica en forma de algas, todos saldremos beneficiados.

El mayor inconveniente que existe a la hora de realizar un consumo masivo de algas no está, sin embargo, en su diferente sabor, ni en la falta de ideas culinarias, sino en su misma procedencia, el mar.

Mientras que las plantaciones terrestres están regadas con agua potable (o de lluvia en las regiones privilegiadas), las algas se desarrollan en un medio en el cual se vierten todos los residuos humanos de los cinco continentes.

Esto puede hacernos pensar que el mar no es el mejor medio como suministrador de alimentos, pero si tenemos en cuenta que llevamos comiendo pescados sin problemas desde hace miles de años y que utilizamos masivamente otros productos marinos como la sal, los moluscos y crustáceos, deberemos pensar que el hecho de que existan algunas zonas marinas contaminadas no excluye a las algas como alimento de especial interés.

Además, teniendo en cuenta la capacidad regeneradora del agua marina, en parte por su alto contenido en sal, muy superior a las tierras de cultivo, no será pues la posible contaminación de las aguas un motivo que nos haga rechazarlas.

La experiencia investigadora nos dice que mientras que los pescados acumulan en sus hígados y vísceras los elementos contaminantes (recuerden el mercurio), las algas no se nutren igual, lo hacen por fijación directa, y, por tanto, no pueden almacenar residuos ni siquiera de otros seres, ya que no digieren ningún habitante marino.

Otra virtud nada desdeñable de las algas es que poseen normalmente propiedades **antibacterianas** muy importantes y por ello se las consideran como un elemento vital para conservar la salubridad del mar.

Mientras existan algas en abundancia la contaminación se podrá controlar, incluso aquella procedente de metales pesados o de petróleo, ya que las algas poseen una notable acción sobre los metales, nicotina y sustancias radiactivas a través de sus polisacáridos.

Composición global

Aunque cada tipo de alga comestible difiere de las demás, debemos recordar que al igual que los vegetales terrestres las algas tienen forzosamente características comunes en cuanto a su composición nutritiva, e incluso en cuanto a su sabor.

Estos vegetales marinos tienen esencialmente un contenido en fibras y mucilagos muy alto, el cual no es absorbible por el ser humano pero que facilita el tránsito intestinal y los movimientos peristálticos, quizá de manera más adecuada que el salvado, elemento demasiado seco que necesita el agua interna para hincharse.

Las algas son muy ricas en calcio, yodo, clorofila y aminoácidos esenciales, nutrientes éstos de gran valor, además de constituir la mejor fuente natural de vitamina B-12, apenas presente en los vegetales terrestres.

3. PRINCIPALES ALGAS

3.1. ALGA AGAR-AGAR

Comercializada como un gel coloidal formado por hidratos de carbono, proviene de las paredes celulares de varias especies de algas rojas del género Gelidium. Se utiliza en la preparación de dulces, cremas y lociones, así como en las conservas de pescado y carne. También la encontramos en la elaboración de los helados, postres congelados, y en la fabricación del vino y la cerveza.

En los laboratorios farmacéuticos el alga agar-agar es un excelente medio de cultivo de bacterias, ya que no se disuelve por el efecto de las sales, ni se consume por la acción de la mayoría de los microorganismos.

El agar-agar se extrae de las algas marinas haciéndolas hervir, pasando luego a un proceso de enfriamiento y secado, solidificándose para formar las conocidas escamas blanquecinas y transparentes.

Culinariamente la encontramos en la comida oriental, inicialmente mezclada con otras algas, aunque ahora su componente esencial son las galactomananas.

Es una especie de poco sabor y por ello es de las más apreciadas, ya que puede ser empleada como una gelatina de mar y dar así un toque diferente a las ensaladas y salsas.

Composición

Su sabor tan suave no la quita mérito como nutriente, ya que posee la siguiente composición:

Humedad: 21,2%

Proteínas: entre un 1,0 a un 2,3%

Grasas: inapreciables.

Humedad: 21,2%

Fibra: 74,2%

Calcio: 400 mg.

Hierro: 5,0%

Fósforo: 8,0%

Valor energético: 4 KCal/100 gr.

El agar-agar se puede comer en cruda en ensalada, previamente remojada en agua durante 30 minutos y escurrida.

Es un tratamiento tradicional complementario en dietas contra la ***obesidad***, no aporta apenas calorías, produce una gran sensación de saciedad, mejora el ***estreñimiento***, tiene un buen efecto reconstituyente y antirraquítico y favorece la asimilación de los alimentos.

En el mercado la podemos encontrar presentada en finas hebras secas o pulverizada para añadir directamente a los alimentos líquidos. También son frecuentes las presentaciones en comprimidos, bien sea mezcladas con otras especies o simplemente como excipiente acalórico de otras sustancias.

3.2. ALGA AZUL-VERDE

Las algas verde-azuladas o cianofitas, se denominan también cianobacterias porque, como éstas, carecen de membrana nuclear. Sin embargo, el hecho de que las cianofitas liberen oxígeno realizando una fotosíntesis similar a la de las plantas superiores, apoya su clasificación como algas.

Esta alga crece en abundancia en la zona alta del lago Klamath, al sur de Oregón, y se empieza a considerar como uno de los nutrientes más completos de la naturaleza. Para su desarrollo necesita un clima exento totalmente de contaminación, un agua rica en materiales volcánicos y mucho sol, circunstancias estas que solamente concurren en muy pocos lugares del mundo. Este invernadero natural, situado a gran altura sobre el nivel del mar, permite el desarrollo de especies, entre ellas esta alga, que son únicas en el mundo.

De nombre latino Aphanizomenon Flosaquae (AFA), contiene proteínas de gran valor biológico con los ocho **aminoácidos esenciales**, siendo el 75% de sus proteínas totalmente asimilables, o lo que es igual, de gran Utilidad Neta.

Su membrana celular es muy blanda, por tanto, fácil de digerir sin masticar y sus nutrientes muy fáciles de digerir. Aunque tiene gran similitud con la **espirulina,** la supera en clorofila (contiene 30 mg por gramo) y contiene siete veces más de vitamina B-12.

Composición

Por cada gramo de alga existen:

Calorías: 600

Proteínas: 220 mg.

Carbohidratos: 50 mg.

Grasas: 50 mg.

Sodio: 5 mg.

Hierro: 840 mcg.

Magnesio: 2 mg.

Iodo: 0,5 mcg.

Clorofila: 30 mg.

Calcio: 14 mg.

Cobre: 12 mcg.

Manganeso: 40 mcg.

Y, además: Potasio, selenio, zinc, vanadio, silicio, molibdeno, níquel.

En cuanto a vitaminas:

B-1: 38 mcg.

B-2: 57 mcg.

B-6: 13 mcg.

B-12: 6 mcg.

Ácido fólico: 1 mcg.

Ácido pantoténico: 6 mcg.

Biotina: 0,3 mcg.

Vitamina C: 6 mg.

Y, además: Beta caroteno, niacina, colina y vitamina E.

Propiedades

Se asimilan al menos un 95% de sus nutrientes y componentes.

Membrana celular blanda; no necesita ninguna modificación comercial.

A igualdad de peso, es el alimento que más cantidad de proteínas contiene (60%), con una Utilidad Neta del 75%.

Se considera la fuente vegetal más rica en vitamina B-12.

Su riqueza en clorofila es superior incluso a las especies vegetales.

Contiene diversos tipos de enzimas los cuales se mantienen activos en el proceso de envasado.

Aplicaciones

Enfermedades carenciales.

Vejez prematura.

Cuando se requieran dosis continuadas de antioxidantes.

Como aporte natural de vitamina A en alteraciones de la piel y la visión.

Falta de memoria, en la vejez y niños.

Enfermedad de Alzheimer.

Para mejorar el **crecimiento** en los niños desnutridos.

Activación de las glándulas pituitaria y pineal.

Cansancio y astenia.

Para **calmar el apetito**, tomada media hora antes de las comidas.

Como estimulante muscular en deportistas.

3.3. ALGAS KOMBU

Estas algas verdes son los miembros mayores de las algas y suman entre 6.000 y 7.000 especies. Se les conoce con el nombre de algas verdes debido al intenso color que otorga la clorofila, poseyendo la mayoría paredes celulares con dos capas, una interna de celulosa y otra externa con pectina.

Las formas marinas de estas algas son fáciles de ver en las rocas costeras cuando baja la marea.

Las algas verdes tienen una enorme importancia en la cadena alimenticia, pues constituyen una fuente de alimento para otros organismos acuáticos y contribuyen al aporte de oxígeno atmosférico.

Conocidas también como **Laminarias**, se trata de un alga que se encuentra en aguas frías de Inglaterra y Japón, de color verde oscuro y que suele estar formada por talos de hasta 5 cm de ancho y casi 2 metros de largo.

Se emplea abundantemente en la cocina china por su contenido en mucílagos espesantes y por su riqueza en glutamato monosódico, el controvertido componente habitual de los platos chinos, esencial para darle el peculiar sabor.

Sin embargo, los detractores dicen que es el causante de las habituales jaquecas que causa este tipo de comida, por otro lado sabrosa y muy digestiva.

Su composición es la siguiente:

Carbohidratos: 57,5%

Proteínas: 5,5%

Agua: 14,7 %

Grasas: 2,5%

Fibra: 8,0%

Fósforo: 150 mg.

Calcio: 800 mg.

Cenizas: 14,5%

Para prepararla se ponen en agua durante al menos media hora y se puede entonces añadir **troceada** a cualquier plato. Si se quiere evitar el remojo previo se incorporará a algún guiso de legumbres que ya esté cociendo o a una sopa, al menos durante un tiempo no inferior a 20 minutos.

Es muy adecuada para platos de cereales cocidos y mezclada con salsa de soja tiene un sabor insuperable.

Aplicaciones

Se emplea también en pastillas, infusiones y como condimento para dietas de adelgazamiento, aunque su principal efecto es para **quitar el apetito** ya que los mucílagos que contiene se hinchan en el estómago y neutralizan el hambre.

Son adecuadas en dietas vegetarianas por su gran contenido en aminoácidos esenciales y minerales, en aerofagias, estreñimiento y alimentación sana.

3.4. ALGA CHLORELLA

De todos los alimentos que conocemos son muy pocos los que alcanzan el nivel benefactor que nos aporta el alga esmeralda, la cual es conocida por tres funciones esenciales: por la capacidad de **rejuvenecimiento**, por ser un eficaz **desintoxicante** y por su alto contenido en **ácidos nucleicos**.

La Chlorella tiene unos dos millones de años de existencia. Su aspecto solamente lo podríamos ver contemplándola a través del microscopio, ya que su estructura corporal está formada por una única célula. Esta característica unicelular no impide que posea una gran eficacia en la mejora de numerosas enfermedades y que sea, al mismo tiempo, un nutriente casi completo.

La Chlorella en sus orígenes fue estudiada como una potencial fuente de proteínas y tras numerosos estudios se llegó a la conclusión de que su eficacia podía incluso llegar a ser 50 veces superior a la proteína de cualquier otro alimento.

La Chlorella es una de las algas más preciadas de la naturaleza

Composición

Contiene todas las vitaminas del complejo B, la vitamina C y E, minerales como el cinc, calcio, cobre, hierro, magnesio y **germanio** y por supuesto **proteínas** de alto valor biológico con todos los aminoácidos esenciales y no esenciales.

Esta composición tan completa hace que pueda regular numerosos sistemas de nuestro organismo, en especial el balance pH que se mantiene equilibrado mientras la tomamos. También es muy rica en **clorofila**, hasta un 2% de su peso, superior incluso a la mayoría de las plantas de hoja verde terrestres.

Aplicaciones

Los científicos han encontrado en ella cuatro factores importantes a destacar en la salud:

1. La abundancia de **clorofila.**

2. La naturaleza particular de sus membranas celulares.

3. La riqueza en **betacaroteno.**

4. La alta concentración en ácidos nucleicos que componen lo que se ha dado en llamar "el **factor de crecimiento**" de la Chlorella.

Debido a su alta calidad en proteínas, fibra y clorofila, se ha convertido en un alimento que tienen el poder de estimular el **sistema inmunológico**, de mejorar el proceso digestivo y de eliminación, de intensificar el **crecimiento** y reparación de los tejidos, y acelerar el proceso de curación. En definitiva, un alimento único que ayuda a promover una vida más sana y duradera.

La Chlorella, por su contenido en clorofila, estimula el metabolismo y la circulación. También favorece la formación de los glóbulos rojos, así como la absorción y utilización de los nutrientes. La clorofila fortalece la garganta y el sistema respiratorio, siendo muy útil en la sinusitis, las encías sangrantes y la cicatrización de heridas y quemaduras. Además, este componente se administra habitualmente en casos de ***pancreatitis*** crónica, actúa como **desodorante** ante el mal aliento corporal y como reductor de los gases intestinales.

Se emplea igualmente contra el ***estreñimiento*** y para proteger a los animales de laboratorio contra las radiaciones.

La Chlorella es utilizada para reducir el azúcar en sangre, mejorando la ***diabetes*** no insulino-dependientes. Por otra parte, el material contenido en la membrana celular de esta planta tiene un efecto estupendo en nuestros intestinos, pues mejora su funcionamiento, estimula el crecimiento de la flora intestinal y desintoxica al organismo de contaminantes.

Mejora en gran medida el peristaltismo intestinal, aumentando las contracciones que mueven el alimento y después moviliza los excrementos hasta su llegada a la bolsa fecal. Esta acción favorece la prevención y curación del estreñimiento, evitando que las toxinas de los excrementos sean reabsorbidas por la corriente sanguínea.

La capacidad para estimular el crecimiento de bacterias benignas, para desintoxicar los productos químicos que hallamos podido ingerir y la destrucción de las bacterias patógenas, cualifica a la Chlorella como un suplemento alimenticio para personas que sufran ***infecciones*** de repetición. Al mismo tiempo que ejerce esta función de desintoxicación fortalece el hígado, principal órgano desintoxicante del cuerpo, favorece el cutis como consecuencia directa de lo anterior, y se emplea en verrugas, acné y alergias cutáneas.

La ventaja más importante para la utilización de la Chlorella es limpiar y desintoxicar el organismo, así como el hecho de potenciar las defensas orgánicas.

Esta función se debe a la capacidad de la membrana celular de estimular la producción de **Interferón**, una forma esencial de defensa orgánica que promueve la producción de macrófagos.

Además de la abundancia de clorofila y de las propiedades del material de la membrana celular, el contenido en **betacaroteno** es el tercer factor activo importante. El betacaroteno que se encuentra en los vegetales verdes y amarillos, como ocurre en las zanahorias, el repollo o las espinacas, ha mostrado tener capacidad de inhibir el crecimiento de las células malignas cancerosas y fomentar la producción del llamado "factor antitumoral TNF", por medio de los macrofagocitos.

El betacaroteno puede actuar en combinación con la vitamina E como un antioxidante para eliminar las células malignas en su fase inicial.

En personas saludables sirve como precursor de la vitamina A y sabemos que las personas que desarrollan tumores suelen tener niveles bajos de esta vitamina. Su acción no específica sobre el sistema inmunológico se basa en que contribuye al mantenimiento de la integridad de ligamentos y tejidos mucosos y estimula las defensas para atacar las sustancias nocivas. Los niveles suplementarios de cinc contenidos en la Chlorella son igualmente esenciales en la utilización de la vitamina A por el organismo, además de ser necesario para estabilizar el ARN.

Al ingerir dosis de uno o dos gramos de Chlorella estamos aportando la dosis justa del llamado **factor de crecimiento** controlado CFG. Este describe una combinación de moléculas que proveen un gran incremento en el sostenimiento de la energía que experimentan los seres humanos cuando cierto tipo de algas son ingeridas.

Esto nos conduce al contenido en **ácidos nucleicos** de crecimiento de la Chlorella, el CGF, el cuarto y más importante de los factores de esta alga. Es este alto porcentaje de ácidos nucleicos lo que compone su elevado contenido de **proteínas**. El factor CGF funciona como una forma de ARN, permitiendo que la información genética sea transferida de una generación de Chlorella a otra.

Con luz solar y fértiles condiciones de cultivo, la Chlorella se reproduce así misma por división celular en una proporción de cuatro nuevas células cada 24 horas.

Actualmente se ha visto que una de las teorías del envejecimiento es concerniente con el gradual deterioro en la habilidad de las células a reproducirse ellas mismas. En el año 1976 se publicó el libro "The no aging diet" del Dr. Benjamín Frank en el que defendía la teoría de que a partir de los 20 años la producción de ARN y ADN comenzaba a ralentizarse, resultando como consecuencia de ello una disminución de la eficiente reproducción celular.

Su tratamiento contra el envejecimiento fue una dieta basada en **alimentos integrales**, la cual enfatizaba los alimentos ricos en ácidos nucleicos. Él pensaba que esta dieta promovería el rejuvenecimiento del ADN y RNA del organismo, permitiéndole utilizar los nutrientes más efectivamente, desintoxicar al organismo, reparar los tejidos más exactamente y producir más energía. A pesar de no haber hecho comentarios sobre la inmortalidad, informó de que muchos de sus pacientes la adoptaron y se sintieron más jóvenes. Una de las recomendaciones del doctor Frank fueron las **sardinas**. En aquel tiempo se pensaba que ellas eran una fuente muy alta de ARN, conteniendo 590 mg por cada 100 gr. Sin embargo, el Dr. Michinori Kimura demostró que la Chlorella era más alta en ARN que las sardinas.

Similarmente a otros factores curativos de la Chlorella, el CGF es importante para el **sistema inmunológico** ya que activa las células T y B, así como su capacidad antivírica. Además, la Chlorella puede ser muy útil en la prevención de la pulmonía, en el alivio de las dolencias artríticas, en el **reuma**, y para normalizar las funciones corporales en casos de cáncer y diabetes.

Otras aplicaciones

También tiene propiedades como hipotensora, para impedir la excesiva agregabilidad plaquetaria en casos de riesgos de trombosis y para mantener la elasticidad de los vasos sanguíneos. Sabemos que personas que tenían una elevada concentración de grasa en la sangre han visto disminuir estos niveles en solo tres meses de ingerir suplementos de Chlorella.

También parece comprobado que con dosis altas de Chlorella -2 gramos diarios- se mejoran las úlceras duodenales y las **gastritis** y en tan solo una o dos semanas de tratamiento los pacientes respondían mejor que cuando tomaban los antiácidos convencionales.

3.5. ALGAS FUCUS

Conocida también como Encina de mar, es el alga más abundante en nuestras costas. De color pardo, pertenece a la familia de las Feofíceas y se encuentra en la zona norte donde hay grandes mareas. Se acumula en grandes cantidades en el fondo y son recolectadas mediante barcas adecuadas que tienen dispositivos para cortarlas allí mismo antes de subirlas a bordo.

Su longitud puede alcanzar hasta un metro, por lo que unido a la gran cantidad de agua que contienen en ese momento, tienen un gran peso que dificulta su extracción.

El alga fucus contiene una gran cantidad de yodo, por lo que puede dar lugar a yodismos en personas predispuestas

Composición

Agua (una vez en tierra): 20%

Grasas: 2%

Proteínas: 5%

Carbohidratos: 65% (con un contenido en alginina del 28%)

Minerales: Yodo, arsénico y potasio.

Aplicaciones

Al igual que la mayoría de las algas marinas, su contenido en ácido algínico hace que se hinche en el estómago y produzca una gran sensación de saciedad, lo que contribuye a eliminar el **apetito** excesivo.

Su contenido en yodo hace que también sea muy útil para casos de ***obesidad,*** hipotiroidismo y ***bocio***, traduciéndose en un aumento significativo del metabolismo y, por tanto, en una mejor combustión de las grasas.

El aumento de la glucemia en sangre que provoca su ingestión hace que no sintamos esa sensación de hambre y podamos controlar fácilmente el apetito.

3.6. GLUCOMANANA

Aunque no es un alga marina sino un **tubérculo** de la especie Amorphophallus konjac de la familia de las aráceas, es necesario incluirla en este apartado de algas ya que se suele encontrar en el mercado mezclada con otras cspccics marinas para cl tratamicnto dc la ***obesidad***.

Se trata de un polisacárido de gran peso molecular utilizado desde hace muchos años en el Japón como alimento saludable.

Tiene una composición similar a la celulosa, en especial en cuanto a poder absorber varias veces su propio peso en agua, formando así un volumen fluido aumentado. Ello es debido a su estructura formada por largas cadenas de manosa y glucosa unidas entre sí y que no pueden ser rotas al llegar al intestino humano, ya que los jugos gástricos no son capaces de romper este enlace.

De esta manera, la glucomanana absorbe el agua intestinal, aumentando así el bolo fecal y el paso al exterior se realiza sin dificultad y sin absorción alguna. Por ello se comporta como una fibra excelente para casos de estreñimiento y mejora del peristaltismo intestinal.

Parece ser que además de este comportamiento de absorber agua también absorbe parte de los hidratos de carbono y las grasas presentes en los alimentos, los cuales elimina sin que se metabolicen y evita, además, que exista la subida de glucosa cuando hemos dejado de comer, lo que daría lugar a un aumento del apetito.

La glucomanana se emplea ampliamente en los tratamientos contra la obesidad

Aplicaciones

Control de la obesidad.

Coadyuvante en el tratamiento de la diabetes.

Para casos de exceso de colesterol y triglicéridos.

Como aporte de fibra en el estreñimiento crónico.

Para el tratamiento de la obesidad y reducir el apetito se tomará antes de las comidas y en los demás casos en medio.

3.7. ALGAS KELP

Se trata de un alga pura, sino una mezcla de varias especies presentes en aguas del pacífico, Laminarias y Ascophylum.

El nombre le viene de un prestigioso doctor naturista y se caracterizan por contener hasta un 0,5% de su peso en **yodo.** También contiene un polisacárido muy viscoso soluble en agua llamado fucoidina, un glucósido viscoso de nombre laminarama, un glúcido como el manitol, y ácido algínico que posee propiedades como antidiarreico.

La mezcla de ambas algas da como resultado uno de los productos naturales más rico en yodo que se conoce, lo que ha motivado cierto control de sanidad en algunos preparados comerciales, ya que su abuso puede inducir al yodismo.

Composición

Agua: 15%

Fibra: 8%

Proteínas: 10%

Extracto etéreo: 4%

Minerales: (de un total del 20% del peso) azufre, potasio, cloro, sodio (4%), magnesio, calcio (3%), fósforo, boro, cobre, cobalto, hierro (500 mg/kilo), cinc, molibdeno, vanadio, níquel, bario y yodo 1000 mg/kilo).

Vitaminas: C 1000 (mg/kg), provitamina A (60 mg), biotina, ácido fólico, niacina, B-2, B-1 (5 mg), E 300 mg., B-12 (4 mcg), K (10 mg).

Aplicaciones

Como aporte de yodo orgánico.

En obesidad, ***bocio*** y disfunciones tiroideas.

Artritis, reumatismo y calambres.

Caída del cabello y uñas frágiles.

En anemias.

Como aporte nutritivo completo en cualquier circunstancia.

Protege contra la intoxicación de metales pesados y residuos radiactivos.

Reduce los niveles altos de ***colesterol.***

3.8. ALGA WAKAME

Ingrediente básico en los platos chinos, se trata de un alga de color verde claro, de una longitud no superior al metro y que se encuentra con frecuencia en los mares cercanos a China, Japón y Corea, aunque en la actualidad se cultiva masivamente en los mares británicos.

Necesita una temperatura inferior a los 20 grados y se recolecta en primavera.

Composición

Carbohidratos: 21,9%

Proteínas: 16,5%

Grasas: 1,5%

Humedad: 13,5%

Fibra: 14,0%

Cenizas: 32,7%

Calcio 120 mg/100 gr.

Se comercializa exclusivamente desecada y se prepara dejándola remojar previamente 20 minutos para su consumo en ensaladas. En platos de sopa hay que cocerla al menos 15 minutos.

Aplicaciones

Se emplea básicamente como aditivo culinario, aunque también posee propiedades comunes al resto de las algas, en especial su efecto ***laxante***. Es un buen alimento en dietas hipocalóricas y ricas en proteínas.

3.9. ALGA ESPIRULINA

Perteneciente al grupo de los cianófitos, la importancia dietética de estas algas verde-azuladas se descubrió en 1962, durante unas investigaciones realizadas en los lagos del valle de Texcoco, en Méjico.

En esa misma época, algas similares se investigaban en un lugar tan opuesto como el desierto del Sahara, en un lago conocido como Chad, de donde los nativos extraían unas algas que comercializaban debidamente prensadas y que eran muy apreciadas por su alto poder energético y nutritivo. Por ello, es frecuente que hoy día se encuentren en el mercado las dos variedades de algas, la Spirulina máxima, procedente de Méjico, y la Spirulina platensis de Africa.

En la actualidad se recoge mediante una máquina muy selectiva que consigue eliminar el agua y extraer la espirulina por medio de la gravedad, depositándola en unas redes muy finas que vibran continuamente para formar una pasta muy homogénea. Después se somete a la pasteurización durante 17 minutos a una temperatura de 68° y se seca a temperatura moderada que no altere sus propiedades ni composición y se añade vitamina C para impedir su oxidación, lo que implica que tomaremos también una dosis extra de esta vitamina.

Se trata de una de las algas más antiguas y posiblemente la que más riqueza nutritiva posee.

Características

Planta unicelular minúscula que crece en aguas saladas y alcalinas, se cree que tiene ya tres millones de años, siendo anterior su existencia incluso a la de los insectos.

Su observación requiere un microscopio de mediano tamaño, apenas tiene un milímetro de longitud, pero es capaz de acumular más proteínas por milímetro cuadrado que la carne o el pescado.

Composición

Carbohidratos: 17,0%

Grasas: 5,2%

Proteínas 60,0%

Humedad: 7,0%

Cenizas: 10,5%

Fibra: 0,3%

Vitamina B-12: 160 mcg.

Vitamina A: 25 mg/100 gr.

B-1: 5,5/100 gr.

Vitamina E: 19 mg/100 gr.

Ácido fólico: 5,0 mg.

También: biotina, pantotenato cálcico, inositol, vitamina B-6 y B-2.

Minerales:

Calcio: 108,5 mg/100 gr.

Fósforo: 760,10 mg./100 gr.

Hierro: 47,0 mg/100 gr.

Magnesio: 141,0 mg/100 gr.

Potasio: 1400,0 mg/100 gr.

Además: Cinc, manganeso, selenio, sodio y cloro.

Aminoácidos:

Fenilalanina: 2,80 gr.

Isoleucina: 4,20 gr.

Leucina: 4,80 gr.

Arginina: 5,90 gr.

Cistina: 0,56 gr.

Ácido glutámico: 8,20 gr.

Triptófano: 1,50 gr.

Tirosina: 2,80 gr.

También: alanina, Ácido aspártico, glicina, prolina, serina, valina, treonina, metionina, isoleucina y lisina.

Ácidos grasos:

Linoleico: 857 mg/100 gr.

Linolénico: 870 mg/100 gr.

Oleico: 200 mg/100 gr.

Colesterol: 1 mg/100 gr.

También: ácido palmítico, esteárico, sitosterol y oleico. Además de clorofila 600 mg/100 gr, carotenos, alcoholes triterpénicos, y estigmasterol.

De toda esta inmensa composición de nutrientes es fácil deducir que nos encontramos con uno de los alimentos más completos que existen a nuestra disposición.

Su proporción de proteínas es superior al pescado, la carne, el huevo y la levadura de cerveza, mientras que su contenido en **vitamina B-12** es el doble que el hígado de ternera, la fuente más reconocida actualmente. La propiedad de poder fijar sin problemas el nitrógeno del aire hace que, además, sea una especie vegetal que no requiere cuidados especiales ni abonos, a lo que hay que añadir que es capaz de crecer en lagos salados incompatibles con la vida de las demás especies.

La espirulina posee mayor cantidad de vitamina B-12 que cualquier otro alimento, además de proteínas de alto valor biológico y alta utilidad neta.

Su facilidad de reproducción permite que una sola hectárea de algas genere 40 toneladas de producto seco al año y se conocen casos de una producción de hasta 10 toneladas en un solo día.

En cuanto a su contenido en aminoácidos esenciales hay que señalar que contiene los **ocho esenciales**, por lo que es similar al huevo, aunque no contiene el temible colesterol. Su utilidad neta es del 61 por ciento y existe también una gran concentración de ácidos nucleicos RNA y DNA y algo del ácido graso esencial ácido gamma-linolénico.

Su **hierro** es muy asimilable y en bastante mayor proporción que en las espinacas, bastando un gramo diario de espirulina para cubrir la mitad de las necesidades diarias de este mineral.

También encontramos trazas de **selenio**, bismuto y cromo, así como la preciada vitamina B-12, la cual no es frecuente que exista en ninguna especie vegetal y para cubrir nuestras necesidades nos vemos obligados a comer carne. Tres gramos diarios de esta alga bastan para cubrir nuestras necesidades diarias, así como los de beta caroteno o pro vitamina A.

Aplicaciones

Básicamente la espirulina saltó a la popularidad por su efecto adelgazante, aunque mejor habría que definirlo como **anorexígeno**, ya que es capaz de disminuir el apetito excesivo.

Este efecto es sumamente interesante ya que solamente se manifiesta si la tomamos una hora o al menos **media hora antes** de las comidas, ya que si la ingerimos al terminar solamente aprovecharemos sus cualidades nutritivas, no por ello menos importantes. Por esto, si una persona la quiere emplear para adelgazar la tomará antes de las comidas, pero si desea mejorar su aspecto físico sin perder su apetito lo hará al finalizar las comidas. Este efecto parece ser que depende de su contenido en **fenilalanina**, aminoácido esencial que tiene un marcado efecto sobre el centro hipotalámico del apetito.

Como energético es muy adecuado para los atletas, ya que a su gran poder energizante hay que unir la facultad de que no les hará ganar peso extra, aunque sí mejorarán su desarrollo muscular.

Aquellas personas que deseen ganancias musculares deberán tomar la espirulina media hora antes de hacer ejercicio, y los que solamente quieran un aporte extra de nutrientes lo harán al terminar. Su tolerancia gástrica es extraordinaria.

En los deportes aeróbicos mejora la resistencia al ejercicio, elimina los ***calambres***, ayuda a la eliminación del dióxido de carbono, y evita la formación de ácido láctico y pirúvico.

Es muy adecuada en personas ancianas con poco desarrollo muscular o mal nutridas.

Mejora la fertilidad.

Evita la caída prematura del **cabello** y su fragilidad.

Ayuda a la corrección del raquitismo, la hipocalcemia y la osteoporosis de la menopausia.

Mejora la coagulación sanguínea.

Ayuda a eliminar los metales pesados de la contaminación.

4. GARUM ARMONICUM

Nuevamente el mar nos proporciona un alimento extraordinario con amplias virtudes saludables. Mediante un proceso de trasudación, esto es, utilizar la sal para extraer de los tejidos determinadas sustancias, se consigue la degradación de los principios inmediatos contenidos en el interior de ciertos pescados. Una vez obtenido este líquido, se somete a un autolisado para que estos tejidos y órganos puedan ser reutilizados inmediatamente en la formación de una nueva materia orgánica. Las enzimas presentes en los propios tejidos del pescado permiten este proceso.

Este procedimiento que nos puede parecer muy nuevo no lo es, ya que hace cientos de años ya se realizaba en Europa una autolisis de órganos de pescado que producía lo que llamaban "el protector universal", algo así como la fuente de la eterna juventud. Su uso se generalizó en las civilizaciones celtas europeas, empleando un pescado procedente de la costa Armorica británica, denominándose Garum, cuya traducción es "salsa de pescado" y "Armonicum" por su procedencia.

Por aquel entonces se mezclaba con plantas aromáticas, y se empleaba en las campañas guerreras de las legiones romanas como energético y remedio excelente para los trastornos emocionales propios de las batallas, la ***angustia***, el ***miedo***, el ***estrés***, etc. Fue precisamente en esa época cuando su uso se abandonó, quizá justo cuando el poderío de Roma se vino abajo y con él parte de sus conocimientos.

Procedencia

Ciertos pescados de la especie Gadinos poseen un metabolismo especial que les permiten sintetizar los ácidos grasos que se encuentran almacenados en sus órganos a partir del plancton. Una vez que se les extrae sus órganos por el proceso de trasudación, obtenemos un producto líquido que contiene un 82% de proteínas de alto valor biológico, con más de 20 aminoácidos, entre ellos 10 esenciales.

Esta riqueza tan grande permite que se unan el grupo amino de un primer aminoácido con el grupo carboxílico de un segundo aminoácido, dando lugar a un péptido de dos o más aminoácidos y cuando llegan a unirse más de diez forman los polipéptidos. La enorme importancia de esta función peptídica es que su composición es similar a la que existe en el hipotálamo y la hipófisis, comportándose, por tanto, como un precursor hormonal.

4.1 COMPOSICIÓN

Estos autolisados comercializados contienen "Propiomelano cortine", un polipéptido de 28 aminoácidos, el cual es un precursor de la hormona beta-lipotrofina, que tiene la misión de estimular a la glándula hipófisis a segregar ACTH, movilizar las grasas y estimular a la glándula suprarrenal para que segregue esteroides y glucocorticoides.

El garum armonicum es un complemento dietético poco conocido, pero de una gran importancia para el tratamiento de enfermedades psíquicas.

Otros compuestos

Además de esta riqueza en **aminoácidos** lógicas en un pescado, se encuentran grandes cantidades de **ácidos grasos poliinsaturados**, con un 12% de la serie Omega 3 y 6, los cuales tienen gran similitud con los que forman la membrana neuronal. La importancia de esto radica en el hecho de que dicha membrana necesita estar continuamente alimentada, ya que cualquier déficit se hace irreversible al no poderse reemplazar cada neurona.

También aparecen cantidades significativas de vitamina A y E, así como **selenio**, nutrientes estos de reconocidas propiedades como **antioxidantes**, lo que permite, además de proteger a los propios ácidos grasos, ayudar a mantener la integridad de la propia pared celular y evitar así su envejecimiento oxidativo. Se comportan, por tanto, como muy eficaces en la lucha contra los radicales libres, esas moléculas inestables que provocan nuestro ***envejecimiento***.

Aplicaciones

Según los investigadores más actuales estos autolisados de pescado son útiles en:

Mantener la integridad de la membrana celular cerebral.

Ayudar al buen funcionamiento de las funciones cerebrales, en especial la ***memoria***.

Tiene un papel esencial en el **sistema inmunitario**, especialmente en la labor de los linfocitos.

Aumentan la **resistencia muscular** y evitan la atrofia.

Son precursores de las prostaglandinas.

Mejoran el estado general en la vejez.

Evitan la degeneración del **sistema nervioso**.

Son un elemento extraordinario para luchar contra el estrés.

Regulan la transmisión del impulso nervioso.

Favorecen un buen equilibrio psíquico y su adaptación a las circunstancias adversas.

Tiene efecto relajante en la ***ansiedad*** y la ***angustia***.

El Garum armonicum no produce sopor ni depresión.

Estimula las funciones digestivas.

Favorece la sexualidad y la ***fertilidad***.

5. HÍGADO DE BACALAO

El bacalao en un pez teleósteo, anacanto, que llega a tener más de un metro de largo, con el cuerpo cilíndrico y la cabeza muy grande. Es comestible, y se conserva salado y prensado.

De su interior se extrae el hígado, a partir del cual se elabora un producto que alcanzó un extraordinario prestigio en épocas pasadas y que actualmente ha caído en el mayor los olvidos.

Su homólogo, el extracto de hígado de ternera, sigue gozando todavía de cierta solvencia para solucionar problemas anémicos o de desnutrición.

Empleado por todos los médicos del mundo para tratar el ***raquitismo*** infantil con indudable éxito, su uso se generalizó también para todos los casos de desnutrición, convalecencias, tuberculosis y ***avitaminosis***, hasta que la aparición de los complejos vitamínicos lo condenó al olvido.

El aceite de hígado de bacalao se extrae de las especies marinas Gadus morrhuae que viven en los mares del Norte de Europa y en pequeñas zonas del Cantábrico. Por ello no es casualidad que el primer lugar del mundo donde se popularizó fuera en los países nórdicos, con una población infantil azotada por el raquitismo.

Una vez recogido el hígado se prensa en frío para extraerle su aceite, lo que asegura todas sus propiedades primitivas, aunque el resultado final es un líquido tremendamente desagradable al paladar. Ello motivó el que los niños considerasen su ingestión como un castigo y no un bien para su salud. El problema se agudizaba al ser prácticamente insoluble en los alimentos normales, con lo cual se hizo difícil enmascarar su sabor.

En la actualidad se presenta en forma de perlas de gelatina blanda que lo hace totalmente insípido, al mismo tiempo que se conservan todas sus cualidades.

Composición

100 mg de aceite contienen 60 U.I. de vitamina A y 9 U.I. de vitamina D, en una sinergia perfecta que le hace especialmente eficaz.

El aceite de hígado de bacalao sigue siendo la forma más adecuada para tomar complementos de vitaminas A y D

Aplicaciones

Esencialmente el tratamiento y prevención del ***raquitismo***. También es útil en la osteoporosis, la osteomalacia, la artrosis y como estimulante del ***crecimiento infantil***. Puede emplearse para todas las patologías relacionadas con la carencia de vitamina A, especialmente los problemas de piel, pelo y ojos.

6. ACEITE DE PESCADO AZUL

Hoy día nadie duda que los pescados azules son un alimento extraordinario para el ser humano, algo que hace años nadie se atrevía a afirmar. Recuerden qué cercanos están los tiempos en que se consideraban a los pescados azules, en especial la sardina y el boquerón, como un alimento para pobres, indigesto y sin valor nutritivo alguno e incluso que dañaba el hígado. Por supuesto, en su lugar recomendaban el pescado blanco, casualmente mucho más caro y solamente al alcance de las clases pudientes.

Pero desde que el temible **colesterol** ha pasado a ser considerado como un problema de salud mundial, los aceites de pescados azules constituyen ahora una fuente natural de mantenernos sanos, algo que los esquimales ya sabían desde hace milenios.

Nuestros científicos quisieron saber con claridad dónde estaba el secreto y aislaron en el pescado de salmón dos ácidos grasos altamente poliinsaturados, el ácido eicosapentanoico **EPA** (con una cadena larga de 20 átomos de carbono) y el ácido docosaexanoico **DHA** (con 22 átomos de carbono.) Como el nombre químico era ciertamente impronunciable y mucho menos de memorizar, los llamaron ácidos grasos **Omega-3**, para diferenciarlos de los ácidos poliinsaturados presentes en los vegetales. Las diferencias entre ambos, sin ser demasiado importantes, residen en que los vegetales contienen dos enlaces dobles, mientras que los de pescado poseen seis.

No obstante, los ácidos grasos vegetales, el linoleico, pueden convertirse en los mismos ácidos grasos poliinsaturados de los pescados, aunque más lentamente.

7. EL SALMÓN

El salmón es un pez fluvial y marino, teleósteo, del suborden de los fisóstomos, que desova en los ríos y emigra después al mar. De este pez de carne rojiza se extraen diversos ácidos grasos, además de la calcitonina, una hormona segregada por el tiroides cuya misión es regular la hipercalcemia.

Sabemos que hay cinco ácidos grasos esenciales para el ser humano que son: el ácido linoleico, el ácido alfalinolénico, el ácido araquidónico, el ácido eicosapentanoico y el ácido docosaexanoico.

De todos ellos es el ácido **linoleico** el más abundante en nuestra alimentación gracias a que se encuentra en los vegetales y sus aceites.

La importancia de estos ácidos grasos reside en que son básicos para las funciones de las células, especialmente para conservar la integridad de su pared exterior.

Las enfermedades cardiovasculares

Una vez comprobado que los esquimales tenían los niveles de colesterol más bajos de toda la población mundial y eso que consumían grandes cantidades de grasas para mantener su cuerpo protegido del frío, se encontró que las lipoproteínas de baja densidad (**LDL**), son las causantes de que el colesterol se acumule en las arterias en lugar de circular libremente. Otra lipoproteína, pero ahora de alta densidad (**HDL**), contribuye esencialmente a mantener los niveles de colesterol en su justa medida, junto por supuesto con la **lecitina** presente en la vesícula biliar.

a conclusión que aún se mantiene es que los ácidos **Omega-3** presentes en los aceites de pescado azules, **salmón**, caballa, atún, bonito y en menor medida sardinas o boquerones, son capaces de controlar ambos tipos de colesterol "bueno y malo" y evitar la formación de ateromas que darán lugar a un coágulo en una arteria.

Los ácidos EPA, derivados del ácido alfa-linolénico, son precursores de las prostaglandinas serie 3, sustancias presentes en nuestro organismo y cuya misión es similar a las hormonas, aunque no son segregadas por glándulas. Forman parte de las membranas de algunas células sanguíneas y endoteliales. Este grupo de prostaglandinas derivadas del EPA actúa como reguladoras de la homeostasis y por ello tienen acciones como antiagregante plaquetaria y vasodilatadora, contrarrestando la acción de las prostaglandinas serie 2.

Los accidentes vasculares pueden tener como causa la carencia de este ácido alfa-linolénico en la dieta, o porque no pueda ejercer su acción el enzima que lo inicia. Por ello se suele decir que una persona fabrica el mal colesterol cuando tiene ***estrés***, alteraciones hepáticas, diabetes o envejecimiento prematuro.

Un aporte extra de grasas de pescado ricas en EPA, disminuye el riesgo de padecer enfermedades cardiovasculares mediante su control de los niveles de colesterol y triglicéridos.

Contenido en ácidos grasos Omega-3:

Arenque: 1,6%

Salmón: 1,2%

Sardinas en lata: 1,7%

Bacalao: 0,3%

Trucha de factoría: 1,6%

Pez espada: 0,2%

Atún: 1,3%

Langosta: 0,2%

Aplicaciones

Esencialmente control del ***colesterol*** y triglicéridos. Se emplea, por tanto, en las enfermedades cardiovasculares, riesgo de ***trombosis***, ***diabetes***, fibrosis quística y tratamiento con quimioterapia oncológica. También se le reconocen buenos efectos en la psoriasis por su acción inhibidora de Leukotrina B4, responsable de la inflamación, y en la artritis reumatoide.

8. MEJILLÓN DE LABIO VERDE

Este producto está elaborado a partir del extracto de un molusco denominado Mejillón de labio verde o **Perna canalículus**, el cual vive en forma salvaje en aguas limpias de Nueva Zelanda.

Durante muchos siglos ha sido base esencial en la alimentación de los nativos maoríes, una raza autóctona de la región, ya que su gran riqueza en **proteínas** y su fácil recolección le hace un alimento extraordinario.

Pero junto a sus propiedades nutritivas se descubrieron otras virtudes incluso más importantes, especialmente su efecto **antiinflamatorio**.

El investigador oceanógrafo John E. Croft escribió un libro dedicado enteramente a divulgar las propiedades curativas y nutritivas de este insólito molusco, y unos laboratorios se hicieron eco de sus investigaciones, comercializándolo en forma de cápsulas.

Su gran difusión mundial (no hay que olvidar que junto a su efecto antiinflamatorio se le une una buena tolerancia gástrica), ha motivado que en la actualidad se cultive masivamente en granjas marinas especiales, libres de contaminación, en donde no solamente se estimula adecuadamente su crecimiento, sino que se le recolecta cuando ha alcanzado la madurez necesaria.

La parte activa del Perna Canalículus son sus gónadas, las cuales se separan del resto de la carne y se elabora un extracto siguiendo una técnica aún no divulgada, con el fin de que conserve todas sus buenas propiedades.

El extracto de Mejillón de Labio Verde es uno de los mejores antiinflamatorios disponibles, rivalizando incluso con la raíz del Harpagofito.

Composición

Básicamente es un alimento proteico (hay un 60% del peso total en proteínas)

También:

Hierro: 0,030%

Cobre: 0,0009%

Selenio: 0,00002%

Magnesio: 0,34%

Calcio: 0,52%

Sodio: 2,33%

Todos ellos, como sabemos, de acción beneficiosa en las enfermedades articulares.

Aplicaciones

Como antiinflamatorio y regenerador articular se puede emplear en ***artritis***, artrosis y dolencias reumáticas. No tiene efecto analgésico, por lo que de notar mejoría se deberá a su efecto curativo, aunque éste no tiene por qué forzosamente manifestarse en las primeras tomas.

TEMA 13

PREGUNTAS SOBRE ALIMENTACIÓN

Sobre alimentación correcta no se puede asegurar nada ni dogmatizar, ya que existen muchos factores, como son el estado de salud, el paladar, la edad, etc., que nos pueden exigir cambiar nuestras costumbres. Vayan pues estas respuestas como algo meramente indicativas.

¿Cuáles son los principales hidratos de carbono?

Están divididos en dos grandes grupos, como son los almidones (pan, cereales, pastas, arroz, galletas, patatas y legumbres secas) y los azúcares (sacarosa y miel).

¿Qué es el metabolismo basal?

Es el consumo de calorías en estado de reposo de un sujeto acostado, despierto, sereno y con una temperatura ambiental de 20°. En estas condiciones la persona consume solamente las energías necesarias para los movimientos respiratorios, latidos cardiacos, funcionamiento del aparato digestivo, vida celular, etc.

¿El hecho de adelgazar o engordar tiene algo que ver con el metabolismo?

Por supuesto. Si un individuo ingiere más calorías de las que su organismo puede metabolizar, engordará y viceversa.

No obstante, una persona puede adelgazar, incluso si está correctamente alimentada, si se dan algunas de estas circunstancias:

a) Aumento de la actividad muscular.

b) Pocas horas de sueño.

c) Vivir en altitudes superiores a los 2.000 metros. d) Medicamentos como la cafeína, adrenalina, extracto de tiroides, anfetaminas, etc.

e) Fumar cigarrillos.

f) Estados de ansiedad o angustia.

g) Estados febriles.

¿Qué deportes son los que consumen más calorías / hora?

En primer lugar las pruebas de esquí de velocidad (960 c/h), seguidas de las carreras de 1.000 metros (930 c/h) y los combates de judo, full-contact Kung-fu y taekwondo (900 c/h). Otros deportes como el footing (700 c/h), el ciclismo (360 c/h), la natación (450 clh), el tenis individual (800 c/h) o el fútbol (400 c/h), también habrá que tenerlos en cuenta a la hora de planificar nuestra alimentación.

¿Cuáles son los errores más frecuentes en alimentación?

Se consumen demasiado poco los productos lácteos, verduras y frutas, y excesivamente los productos cárnicos, grasas animales, hidratos de carbono refinados y refrescos azucarados.

¿Es verdad que un desayuno abundante es mejor que el tradicional a base de café y tostadas?

No, exactamente. Desde luego que el desayuno tradicional español se queda demasiado corto y es por eso que mucha gente necesita tomar un bocadillo a media mañana. Lo ideal es que el desayuno represente el 25 por 100 de la alimentación total diaria y esto se puede lograr tomando cereales integrales con un vaso de leche, o una ración de churros, más una tostada con mantequilla y café con leche.

¿El alcohol es útil para combatir el frío?

Rotundamente, no. Proporciona calorías en gran cantidad, pero al pasar directamente a sangre no pueden ser utilizadas ni para el trabajo muscular, ni para la lucha contra el frío. La sensación de calor que se nota al tomarlo, producida por la vasodilatación, disminuye rápidamente y nos provoca un estado de frío peor que antes.

¿Es más aconsejable el pan normal o integral?

En principio habría que decir que es mejor el integral por su gran riqueza vitamínica, proteica y mineral, a lo que habría que añadir el contenido en salvado, pero lo cierto es que no todos los estómagos lo toleran bien y alguna personas con el tránsito intestinal muy acelerado podrían tener problemas, incluso de absorción de sus vitaminas.

Los deportistas, independientemente del pan que se trate, deberán eliminar la miga y tomar solamente la corteza, masticándola bien.

Si los hidratos de carbono son los mejores productores de energía, ¿no sería recomendable tomarlos en mayor cantidad?

Los glúcidos debemos tomarlos en cantidades algo superiores al 55 por 100 de la dieta total, ya que son el alimento energético por excelencia, pero en algunas personas cantidades muy altas les podrían provocar los siguientes trastornos:

a) Desarreglos digestivos (estreñimiento, gases, etc.).

b) Disminución del apetito y por tanto menor ingestión de las demás sustancias nutritivas, como son las proteínas y las grasas.

c) Déficit de calcio.

d) Aumento de peso y disminución de la fuerza muscular.

e) Caries dental a causa de la mayor acidez bucal.

f) Carencia de vitamina B-1.

¿Se puede hacer deporte en ayunas?

Nunca. Es muy peligroso, ya que las tasas de azúcar en sangre descienden rápidamente al cabo de media hora de ejercicio.

¿Cuáles son los síntomas de esa falta de azúcar?

Fatiga, malestar, ansiedad, irritabilidad, sudores, lipotimia, etc.

¿Tomar azúcar soluciona algo?

El azúcar normal o la glucosa pura tardan aproximadamente 20 minutos en poder ser utilizados por el organismo y esto a costa de una gran sobrecarga hepática y un consumo fuerte de vitamina B-1. La miel, el polen y algunos alimentos como las uvas, los higos, la remolacha, los dátiles, etc., son más eficaces.

¿Es muy necesaria la carne para el deportista?

Desde luego no más que el pescado o los cereales. El organismo no diferencia si el consumo de proteínas es de origen animal o vegetal, y lo único que importa es el valor biológico de ellas, esto es, la riqueza en aminoácidos esenciales que contenga.

Lo que sí es necesario aclarar es que, independientemente de la parte del animal que comamos, el contenido en calidad nutritiva es el mismo y las únicas diferencias pueden estar en el sabor o en la dureza. Las carnes de ternera son inferiores en cuanto a cantidad de vitamina y minerales y tampoco importa el tomarla poco o mucho hecha, aunque esto último provoca, con demasiada frecuencia, la aparición de parásitos intestinales, sobre todo en los niños.

¿Qué se puede decir de la leche?

Contiene una proteína, la caseína, de gran valor biológico, así como hidratos de carbono y grasas. También es rica en calcio, fósforo, potasio, azufre y vitaminas B y A, pero es muy pobre en vitamina C y hierro.

Nunca se debe tomar descremada, a no ser por problemas especiales, ya que esto acarrea problemas de absorción de principios nutritivos. Las personas con intolerancia a las grasas deberán tomarla higienizada. Esta última es, de las leches frescas, la que más tiempo se conserva, pero una vez abierta se debe consumir en veinticuatro horas.

¿El consumo extra de proteínas aumenta la potencia muscular?

Puede mejorar las contracciones cortas y energéticas, pero perjudica las de larga duración. Quizá sea más importante la constitución del individuo que la cantidad o calidad de las proteínas. Así, a las personas gordas y asténicas les beneficiará una alimentación más rica en carnes (o cualquier otro alimento rico en proteínas) y a los nerviosos un aumento de los vegetales.

¿Es mejor la alimentación vegetariana que la mixta?

Si la alimentación naturista es equilibrada en cuanto a la utilización de vegetales, cereales, leche, huevos, azúcares, etc., es perfectamente normal para asegurarnos la salud y podemos practicar perfectamente cualquier deporte. Lo importante es no caer en fanatismos y dejar de comer alimentos adecuados por ignorancia. No obstante, teniendo los suficientes conocimientos sobre preparación culinaria y necesidades nutritivas, se podría pasar perfectamente sin tomar alimentos animales, aunque quizá habría que tener cuidado en la posibilidad de una carencia de vitamina B-12. La incorporación de algas podría solucionar este problema.

Las personas que prefieren la alimentación mixta, deberán tener en cuenta que no les debe faltar los aceites vegetales, abundante cantidad de verduras crudas o cocidas al vapor y la toma diaria de leche, miel y fruta.

¿Las aguas minerales son útiles?

No más que el agua común, a la cual podemos disimular el sabor a cloro enfriándola o añadiendo zumo de limón. Las que se anuncian como pobres en sodio pueden llegar a ser perjudiciales para los deportistas.

¿Qué zumos de frutas son los más indicados?

Indudablemente los de uva, que se tomarán una hora antes del esfuerzo, y los de limón y naranja, que nos ayudarán a combatir las concentraciones de ácido láctico, pero que deberán ser tomados con las comidas.

¿Vino o cerveza?

El vino contiene un 80 por 100 de agua y un porcentaje de alcohol etílico de un 10 por 100 aproximadamente. También contiene azúcares, sales minerales, glicerina y albúminas. Parece ser que favorece la digestión de las carnes y los quesos.

La cerveza contiene entre un 2 y un 5 por 100 de alcohol y una pequeña porción de minerales, vitaminas B y aminoácidos. Sin embargo, la presencia de gas carbónico y lúpulo (con su contenido en estrógenos) no la hace recomendable para deportistas varones, ni para aquellos que tengan problemas de fermentaciones intestinales o dilatación estomacal.

He oído que se encuentran hormonas femeninas en muchos alimentos. ¿Es cierto?

Totalmente cierto. Además de la cerveza, que puede contener hasta 30 mg por cada 100 gr. de lúpulo, están los granos de avena germinada, la grasa de vaca, el tocino de cerdo, la manteca, la mantequilla y la piel del pollo y gallina. En cantidades menores aparecen también en la leche.

¿Qué sustancias pueden provocar aumentos de la fuerza muscular o de la efectividad deportiva?

Aparte las dosis extras de vitamina C, que se pueden cifrar entre los 300 ó 1.000 mg diarios, están el ácido glutámico (400 mg), el aspártico y la arginina 1.()00 mg), la vitamina B1 (25 mg) y una mezcla de sodio, potasio y glucosa. También el ginseng, eleuterococo, vitamina B-15 y octacosanol.

¿Se deben suprimir la sal y la grasa de los alimentos, así como el azúcar?

Esta práctica en una persona normal provocará a corto plazo muchos más trastornos de los que pretende mejorar, pero si lo hace un deportista las consecuencias son gravísimas.

Lo que se debe hacer es utilizar sal marina (incluso yodada), azúcar moreno o, mejor, miel y tomar suplementos de lecitina, que emulsionará las grasas de los animales que tomemos.

¿Es cierto que los calambres y los dolores de costado son debidos principalmente a deficiencias nutritivas?

La mayoría de las veces sí. El tragar los alimentos sin masticar, con lo cual la saliva no se mezcla con la amilasa, provoca que los granos de almidón no puedan metabolizarse y como consecuencia aparecen fenómenos de flatulencia, calambres diafragmáticos y dolores de costado. Tomar bicarbonato, a la larga, empeora estos problemas, y el déficit de potasio y vitamina B1 también provoca estos trastornos.

TEMA 14

¿ES BUENO EL EJERCICIO PARA ADELGAZAR?

Alguien debe estar muy equivocado al afirmar cuáles son las causas de la obesidad, ya que ésta -¿enfermedad?- sigue siendo la más extendida de todas y la más difícil de corregir de una manera definitiva.

Cada vez que una enfermedad se vuelve rebelde al tratamiento generación tras generación pienso si la verdadera causa no será aquella que los médicos preconizan.

Este razonamiento se puede hacer extensible a una larga lista de enfermedades aún no resueltas (solamente mitigadas a base de fármacos), como es el caso de la diabetes, la úlcera duodenal, la psoriasis, etc. A todas ellas se las considera bien definidas y con unas causas totalmente admitidas, pero nadie es capaz de curarlas de una manera definitiva.

La lógica quizá nos dé a entender que deberíamos revisar otra vez el origen y no dar por buenas las explicaciones que algún sabio doctor dio de ellas hace muchos años.

Y centrándonos en la obesidad, los doctores no lo deben tener muy claro a juzgar por los miles de personas que siguen obesas, la mayoría de ellas después de haber pasado torturas dietéticas sin fin. El aspecto que tiene una persona después de haber sido sometida a un drástico régimen pobre en calorías es desalentador: su piel está marchita, los ojos hundidos, los músculos flojos y su aspecto general nos recuerda más a un convaleciente que a una persona que se supone debería estar pletórica de salud al recuperar su "peso ideal".

Pasados los meses esa misma persona vuelve a recuperar casi en su totalidad el peso anterior, ya que su organismo le presiona una y otra vez para que vuelva a comer en la cuantía necesaria, aunque ésta le provoque el temido engorde.

No es mi intención definir cuáles son las verdaderas causas de que una persona antes delgada se vuelva obesa con los años, ya que yo mismo quizá volviera a caer en un nuevo error, y lo único que voy a hacer es efectuar una serie de preguntas basadas en la lógica y la observación:

- ¿Es verdaderamente el desfase entre calorías consumidas y quemadas la causa de la mayor parte de las obesidades?

- ¿Son todas las calorías iguales, sea cual sea su procedencia?

- ¿No será la obesidad una defensa del organismo y no una alteración?

- ¿De qué manera interviene la gravedad de la Tierra en los depósitos de grasa en el tejido adiposo?

- ¿Es verdaderamente el exceso de grasa el responsable de la obesidad?

- ¿Una persona obesa no será también una persona desnutrida? Y si es así, ¿no será que el organismo se hincha para captar nutrientes esenciales?

- ¿No se debería considerar el espejo como el mejor indicativo del peso ideal para cada persona y no la báscula?

- ¿No estará todo el problema radicado en un consumo excesivo de alimentos refinados y una carencia de ejercicio cotidiano?

Piensen ustedes en estas preguntas y quizá lleguen a una conclusión más acertada que la actual. Aquí comentaremos las posibilidades que una persona tiene de perder peso mediante el ejercicio, ya que es, a mi entender, una manera mucho más saludable y razonable de perder peso que mediante drásticos regímenes alimenticios, aunque es justo recordar que con los regímenes hipocáloricos las bajadas de peso son espectaculares (y en la misma medida lo son los efectos secundarios).

La práctica cotidiana del ejercicio no suele adelgazar demasiado a casi ninguna persona y todo lo más que se puede esperar es una disminución de dos o tres kilos el primer mes y un descenso muy paulatino durante cinco o seis meses siguientes, pero todo ello siempre y cuando el ejercicio efectuado sea igualmente razonable y bien dirigido, ya que en caso contrario la persona puede ver aumentado su apetito a causa de un aumento en las necesidades nutritivas.

Pondré algunos ejemplos:

Si una persona obesa acude a un gimnasio y se incorpora a la tabla de ejercicios del resto de los alumnos, estará tratando de acomodar su cuerpo, su vitalidad y su consumo calórico al resto de sus compañeros, pero sin que ello quiera decir que sea lo más adecuado para su cuerpo.

La solución correcta iría por una semiindividualidad, en el sentido que cada alumno realizara el tipo de movimiento indicado pero a la cadencia y con la amplitud que desee, hasta que llegado un momento su organismo le indique que debe interrumpirlo. De esta manera estará adecuando el ejercicio a sus necesidades y la clase no tiene por qué perder cierta colectividad.

Otro factor muy importante para conservar esta individualidad es que la persona pone su límite al sufrimiento físico y no rechaza las clases de gimnasia, ya que normalmente le son placenteras.

Es en este punto del placer en el que están equivocadas las mayoría de las personas, bien sean monitores o alumnos. Solamente mediante el trabajo placentero de la preparación física se pueden lograr éxitos sólidos.

Los ejercicios extenuantes, los sudores copiosos y el dolor muscular son reliquias de unas ideas sobre el mejoramiento físico totalmente improcedentes.

Para que el cuerpo mejore, tanto en salud como en estética, el ejercicio debe ser placentero. Dejemos el sufrimiento para los deportistas profesionales, los cuales no tienen inconveniente en deteriorar su salud a largo plazo si con ello consiguen mejorar y ganar premios en ese momento. Pero la mayoría de las personas acuden al deporte solamente para mejorar su condición física y mucho más aquellos que lo hacen por motivos estéticos y de salud. No necesitan ganar a nadie, solamente a ellos mismos.

El primer requisito, por tanto, para perder peso con el ejercicio está indicado: ejercicio a un ritmo suficiente para cada persona, pero sin que llegue a ser agotador. Los movimientos deben ser agradables de realizar, fáciles de comprender y en posición corporal correcta.

El segundo requisito es la frecuencia. Parece ser que el trabajo en días alternos está considerado el más adecuado, ya que así damos tiempo al organismo a que reponga las energías consumidas y, lo más importante, le damos el margen suficiente para que se noten los beneficios, ya que es durante la fase de descanso cuando se realizan las modificaciones corporales. Durante el esfuerzo físico nuestro organismo está concentrado exclusivamente en la adaptación de todo nuestro cuerpo al movimiento y en este momento no hay cambios importantes.

Mirarse al espejo después de una clase de gimnasia no es una buena solución para juzgar los beneficios, siendo mejor esperar a un fin de semana para ello.

Otra frecuencia de trabajar que puede ser igualmente válida sería la diaria. pero siempre y cuando la intensidad no sea muy alta, ya que lo que se pretende es el trabajo placentero ante todo. De cualquier manera, se deberá interrumpir el ejercicio al menos un día a la semana.

El tercer requisito importante es la duración del ejercicio y en este punto las conclusiones parecen estar igualmente claras. Menos de diez minutos de trabajo solamente producen mejoras a nivel general, en el factor elasticidad y en la destreza, pero apenas nada nos ayudará a bajar de peso o mejorar sensiblemente nuestra condición física. A partir de los quince minutos de trabajo el organismo ya ha realizado su adaptación al movimiento y se encuentra en buenas condiciones para continuar.

Pasada la media hora (y siempre refiriéndome a personas normales), comienza el consumo de reservas energéticas y el endurecimiento de la masa muscular. Si la persona en cuestión se siente bien y con suficientes fuerzas, deberá continuar el ejercicio, ya que es precisamente entonces cuando su cuerpo comenzará a cambiar de una manera sustancial. Desde este momento hasta los 45 minutos -cifra reconocida como ideal- todo el organismo está trabajando a tope y, si tenemos la precaución de intercalar ejercicios de estiramiento y respiración al finalizar, la clase habrá sido un éxito. El deseo de reanudarla cuanto antes quedará *como* una obsesión en nuestra memoria.

Un cuarto factor para el adelgazamiento mediante el ejercicio estaría en el tipo de deporte elegido, ya que no todos proporcionan los mismos beneficios y cambios corporales.

Por ejemplo: centrarnos exclusivamente en una zona corporal, como pueden ser las caderas o el estómago (por ser estas zonas las que con más frecuencia engordan), no nos conducirá a adelgazar allí precisamente, y lo más que conseguiremos será darlas algo de firmeza muscular y descompensar el resto del cuerpo.

El trabajo debe ser generalizado, nunca localizado, aunque no está de más el insistir en aquellas zonas que más nos preocupan, bien sea repitiendo los ejercicios de esa zona o, más importante aún, estirándolos largamente. Sobre este último factor, no hay que olvidar que los yoguis suelen ser personas muy delgadas y su técnica se basa principalmente en el estiramiento. Cualquier deporte que hagamos deberá incluir al menos quince minutos diarios de estiramientos, si queremos ganar salud y fortaleza, y adelgazar con él.

En cuanto a deportes propiamente dichos, encontramos como los más idóneos para un acondicionamiento general a la gimnasia de mantenimiento, el aeróbic (no más de 30 minutos) y la gimnasia rítmica. Detrás de ellos podremos incluir al footing, el alpinismo, la marcha, la natación, las artes marciales y el atletismo. Todos ellos son válidos para el fin perseguido, pero teniendo en cuenta que quizá no mejoren todo el cuerpo de una manera homogénea.

Por ejemplo, el footing es bueno para adelgazar de una manera global, pero el aspecto externo quizá no sea del agrado de todos, ya que la parte superior suele adelgazar más que la inferior y las piernas es seguro que aumentarán de masa muscular.

Caso contrario ocurre con la natación, la cual desarrolla más la parte superior que la inferior, quedando la espalda claramente hipertrofiada.

Estos aspectos deben tenerse muy en cuenta, ya que es posible que la persona no mejore estéticamente en la medida que desea, aunque consiga bajar de peso general.

Otros deportes, como es el caso del culturismo, la danza, el patinaje, el esquí o el tenis, pueden ser una buena solución para alternarlos con los mencionados en primer lugar, ya que darán a nuestro cuerpo un complemento perfecto y evitarán la monotonía que se declara al cabo de unos meses de práctica. Alternar, por tanto, la gimnasia de mantenimiento con otro deporte puede ser la solución idónea para que la persona acuda a un gimnasio durante muchos años.

Sobre este asunto hay que explicar que nunca se pueden esperar mejoras sustanciales ni definitivas solamente con dos meses de práctica, y que para que éstas se hagan sólidas deberemos dar tiempo al tiempo tomándonos el ejercicio con calma, ya que en la misma medida en que aumentemos la intensidad del ejercicio así será luego igual de rápida la caída de lo logrado.

Ejercicios moderados durante largo tiempo producen mejoras prolongadas. Ejercicios intensos durante poco tiempo generan enfermedades y mejoras poco duraderas.

Y sobre las calorías consumidas durante el ejercicio quiero insistir que no todas las calorías son de igual importancia en las dietas de adelgazamiento, ya que aquellas procedentes de alimentación animal son más perjudiciales y más difíciles de quemar que aquellas otras procedentes de los alimentos de la tierra.

Esta diferencia entre calorías consumidas y el gasto calórico, aparentemente pequeña, es la que puede motivar que el proceso de engorde se realice paulatinamente, casi de una manera imperceptible.

De cualquier manera, aun cuando las energías consumidas fuesen superiores a las gastadas, la obesidad nunca se declararía si la persona consumiese con preferencia productos integrales, alimentos ricos en fibra, suficiente cantidad de verduras ricas en sales minerales, y evitase en lo posible los productos de origen animal.

El cambio de los azúcares refinados por los naturales (miel, azúcar moreno) y el cambio de sal común por sal marina son también elementos imprescindibles a la hora de mantenerse en el peso correcto, lo mismo que el cambiar el café y el té por infusiones de menta o malva.

Obesidad, ¿cuestión de gustos o enfermedad?

Observo que también la opinión de las gentes está muy manipulada por las modas médicas.

Hace años se pensaba que todo el mundo estaba carente de vitamina C y se puso casualmente de moda el Redoxón.

Anteriormente, la carencia de hierro era el mal más extendido y todos los médicos recetaban el Fercobre a cualquier persona que tenía un poco de ojeras. Tampoco hay que olvidar la moda del calcio en la década de los 50 y todo niño que estaba desganado, nervioso, dormía mal, no crecía lo suficiente o tenía anginas de repetición recibía una y otra vez dosis de calcio 20.

Y en esto de las modas médicas se llegó hasta el extremo de utilizar los corticoides (cortisonas) indiscriminadamente, de vender las anfetaminas libremente en las farmacias a los estudiantes o de utilizar los antibióticos (Benzetacil 6-3-3) como preventivos. Tal cantidad de errores afortunadamente pasaron a la historia, no sin antes hacer daños irreversibles a miles de personas confiadas.

Ahora está de moda la delgadez bien llevada. No aquella tipo tuberculoso de nuestros antepasados, pero sí un cuerpo carente en absoluto de grasas externas; las internas (colesterol, arteriosclerosis) parece que no son tan importantes a juzgar por los millones de personas que están más empeñadas en adelgazar que en conservar la salud.

Es bien sabido que en los años de la última guerra mundial no existían apenas obesos en la población, salvo quizá en la clase privilegiada. O sea, el patrón podía estar obeso, pero el obrero no.

En aquellos la obesidad era signo de buen comer y en el otro la delgadez era consecuencia del duro trabajo que realizaba. Cuestión de puntos de mira, nada más.

Enfermedades tan comunes como la diabetes, hipertensión, exceso de colesterol o gota, apenas se daban. Los llamados factores de riesgo no se tenían en cuenta y los análisis de sangre de aquella época tenían una característica común: la sangre era muy fluida. Junto a esta población delgada, los médicos y las madres pensaron que las causas eran exclusivamente la malnutrición.

Para remediarlo, refinaron el pan hasta convertirlo en un producto precioso y pulido llamado pan blanco (algo más caro, por supuesto), dijeron que las patatas y las legumbres eran la comida del pobre y recomendaron carne y jamón serrano a toda persona debilitada o de familia rica. Cuando una persona estaba delicada la madre le traía un filete de ternera y si era de familia bien el niño recibía todas las tardes su suculento bocadillo de jamón serrano, por supuesto delante de sus amigos pobres que se conformaban con el bocadillo de sardinas o el de pan con aceite y azúcar.

Por todo ello, el uso y abuso de las carnes, en especial la de cerdo, desbancó totalmente al pescado, al consomé con coñac, al plato de legumbres y el flan chino a la fruta. También hay que destacar las recomendaciones de comer hígado de ternera al menos dos veces por semana, por aquello de que curaba la anemia.

Se atacó el consumo de pan en las comidas (quizá el único alimento al alcance de todas la economías), pusieron en la picota a los pescados azules (decían que atacaba al hígado) y dijeron que estar bien alimentados era una cuestión de posición social. Si se tenía dinero había que comer jamón serrano, merluza fresca, solomillo y mariscos. Las legumbres, hortalizas, patatas y el pan de centeno eran cosas de los pobres y por tanto alimentos de segunda categoría.

La presión que las autoridades sanitarias y los comerciantes hicieron sobre la población dio resultado y el consumo de carne desplazó a cualquier otro alimento. Un niño podía dejar de comer la sopa, el plato de arroz o la sardina asada, pero si ese día se negaba a comer el suculento filete de ternera se quedaba sin paga. Podía dejar de comer la guarnición de verduras y patatas fritas, pero el filete de ninguna manera.

Y así, durante treinta años se consideró que la causa de la malnutrición estaba en la alimentación rica en hidratos de carbono y que la carne ni engordaba, ni hacía daño, y además era un alimento energético de primer orden. Recuerden si no la alimentación de los deportistas de antes y los bocatas de jamón que nos daban después de donar sangre.

Por desgracia, la población confió en el buen criterio de los médicos y se centró en ese tipo de alimentación. La carne de cerdo se puso (y aún está) en el primer lugar de ventas y las enfermedades degenerativas pasaron a ser la principal causa de incapacidad y fallecimientos.

Actualmente las cosas siguen así y la gente que quiere adelgazar o comer bien sigue pensando que la solución está en el filete a la plancha.

Una de las consecuencias de esa alimentación errónea es la obesidad, la enfermedad que más molesta a la gente, aunque no sea en sí una enfermedad sino un factor de riesgo para padecer enfermedades y sobre todo una cuestión de gustos estéticos.

Unos llevan su gordura con resignación (¡qué le voy a hacer!), otros con pesadumbre (¡qué más quisiera yo que estar delgado!), algunos con soberbia (más vale que sobre...) y los que más con mal humor. El sentido de lo bello es muy extraño, sujeto a modas, y a pesar de que a muchos les gustan las personas obesas los ídolos casi siempre están bien proporcionados, y si vemos por la calle una mujer bien formada la miramos con más interés que a una gorda.

Tal es el deseo de la población por permanecer delgada que las clínicas, centros y productos para adelgazar constituyen la mejor inversión para los empresarios. Los productos bajos en calorías aumentan sus ventas, los endocrinos tienen más pacientes y la guerra al pan, la sal, las pastas y las calorías es ya una nueva manía, por supuesto apoyada como antaño por las autoridades sanitarias.

Pero algo debe fallar cuando el 65 por 100 de la población tiene exceso de peso. Algún tonto dijo que el problema de la obesidad era que consumíamos más calorías de las que podíamos quemar y, sin más, el secreto de la delgadez estaba ahí, en dejar de comer. Las consecuencias, aunque sean a largo plazo, se pagan y la persona que entonces enferme a consecuencia de esa carencia de calorías nunca culpará a su antiguo régimen para adelgazar. Pero no es solamente la carencia de elementos nutritivos lo que provocará la enfermedad sino, lo más importante, la carencia de calorías.

Sin calorías no hay vida y cuando no suministramos las necesarias el cuerpo se autodigiere en su totalidad, no solamente en la grasa superflua como la publicidad dice. La falta de calorías no mejorará la salud aunque la persona adelgace, sino que la empeorará tarde o temprano.

Los tratamientos adelgazantes

Es cierto que una persona sometida a un régimen drástico en calorías adelgaza y que se pretende suplir la carencia de nutrientes por concentrados en vitaminas y minerales, pero no basta. El cuerpo humano necesita volumen de comida para realizar sus funciones, no solamente sustancias aisladas o concentradas.

Los numerosos experimentos que se han hecho por mantener a la gente con vida a base de concentrados nutritivos siempre han fracasado. Tiene que haber muchos más nutrientes o catalizadores necesarios de los que se conocen y que son imprescindibles para la vida.

El problema de la obesidad es bien sencillo y conocido: mala alimentación y poco ejercicio. Pero culpar de ello a las calorías es un tremendo error, ya que hay calorías y calorías. No es lo mismo unas calorías procedentes de las patatas o los cereales que otras procedentes de la carne de cerdo. Mientras las primeras son de rápida combustión y no dejan apenas productos catabólicos ni residuos, las otras son de combustión lenta, incompleta y difícil. Además, los productos residuales que generan las grasas animales son altamente perjudiciales para la salud.

Por ello, las gorduras generadas a base de comer durante años los productos de la matanza del cerdo son bastante más difíciles de quitar que aquellas que son consecuencia de comer demasiados dulces.

El asunto, pues, debe quedar claro: no se debe hablar indiscriminadamente de calorías y para bajar de peso no se deben bajar sin más las calorías necesarias, ya que esto conduce a muchas enfermedades posteriores. El resto de las tonterías que se dicen para bajar de peso, como es suprimir la sal, no beber agua, hacer gimnasia extenuante, tomar saunas, tomar diuréticos o anorexígenos, así como beber batidos de proteínas, en sustitución de las comidas, son solamente el producto de una falta de cultura alimentaria.

Las soluciones

La obesidad se debe perder poco a poco, quizá dos kilos por mes y sin grandes traumas en nuestra forma de vivir. Para lograr esto bastará con cambiar poco a poco nuestras costumbres alimentarias.

Habrá que beber suficiente agua al día.

No tomar cerveza o refrescos.

Desayunar leche descremada con achicoria, quizá con algo de muesli, y alternarlo con zumo de limón o pomelo.

Suprimir totalmente la carne de cerdo y derivados.

No mezclar hidratos de carbono con grasas en la misma comida.

Se pueden tomar pescados y carne de pollo sin la piel.

También todas las verduras, salvo los derivados del repollo.

Hay que realizar ejercicio moderado, sin cansarse, tres días a la semana.

Un día a la semana se hará un ayuno a base de cerezas o piña solamente.

Se pueden tomar algunas hierbas adecuadas como son la malva, ortosifón, bardana y barbas de maíz. De entre las algas, las más eficaces son la spirulina, el fucus y las laminarias. Lo importante es tomarlas una hora antes de las comidas. El té Sinnesis es también bastante efectivo.

La carencia de minerales como el potasio, calcio, magnesio, cromo y yodo también provoca obesidades y la mezcla de cinc-níquel-cobalto reduce el apetito desmesurado.

De cualquier manera, la báscula no es el mejor indicativo de la obesidad, ya que de hacerlo así consideraríamos gordos a los culturistas y delgados a los corredores de maratón. Si su cuerpo está proporcionado, se siente ágil y su barriga no es exagerada, olvídese de la báscula y de adelgazar.

RESUMEN

Las algas abundan más que los vegetales terrestres, no requieren cuidados, ni siembra, ni condiciones especiales, y son ricas en sustancias nutritivas.

Las algas no se nutren como el resto de los seres vivos, pues lo hacen por fijación directa, y, por tanto, no pueden almacenar residuos ni siquiera de otros seres, ya que no digieren ningún habitante marino.

A diferencia de los vegetales, las algas poseen una gran riqueza en proteínas y vitamina B-12.

El alga agar-agar es una especie de poco sabor y por ello es de las más apreciadas, ya que puede ser empleada como una gelatina de mar y dar así un toque diferente a las ensaladas y salsas.

El alga esmeralda chlorella es conocida por tres funciones esenciales: por la capacidad de rejuvenecimiento, por ser un eficaz desintoxicante y por su alto contenido en ácidos nucleicos.

La proporción de proteínas de la espirulina es superior al pescado, la carne, el huevo y la levadura de cerveza, mientras que su contenido en vitamina B-12 es el doble que el hígado de ternera, la fuente más reconocida actualmente.

EJERCICIOS DE AUTOEVALUACIÓN

1. El agar-agar se emplea para fabricar helados? SÍ NO
2. ¿Las algas son ricas en grasas? SÍ NO
3. ¿Existen algas para uso humano en los lagos? SÍ NO
4. ¿Tienen clorofila las algas? SÍ NO
5. ¿El alga fucus puede emplearse sin problemas?
6. ¿Se emplean las algas para adelgazar? SÍ NO
7. Los pescados poseen propiedades terapéuticas? SÍ NO
8. ¿Se puede curar el exceso de colesterol comiendo salmón? SÍ NO
9. ¿Los pescados azules son más saludables que los blancos? SÍ NO
10. ¿El mejillón de labio verde es un buen antiinflamatorio? SÍ NO

RESPUESTAS A LOS EJERCICIOS DE AUTOEVALUACIÓN

1. SÍ, además de ser un ingrediente esencial en la comida china

2. NO, especialmente el agar-agar

3. Sí, especialmente en Méjico y Oregón

4. SÍ

5. NO, por su gran contenido el yodo

6. SÍ, especialmente la glucomanana y el fucus

7. SÍ, especialmente el salmón y algunos moluscos

8. NO, aunque supone una ayuda muy importante

9. NO, pues aunque poseen propiedades terapéuticas, no son bien tolerados por todo el mundo

10. SÍ, y en ocasiones puede sustituir a los tratamientos habituales

EXAMEN

1. ¿Cuál es la composición básica de las algas?

2. ¿Qué alga es empleada también para cultivos bacteriológicos?

3. Nombra algunas algas que se empleen en la cocina

4. ¿Y como terapéuticas?

5. Nombra una alga con gran riqueza en vitamina B-12

6. ¿Qué alga utilizarías para calmar el apetito?

7. ¿Y cuál para el crecimiento infantil?

8. ¿Existe alguna alga que crezca en aguas salidas y dulces?

9. ¿Qué producto del mar sirve para el tratamiento del estrés?

10. ¿Dónde se encuentran los ácidos grasos de las series Omega 3 y 6?

TEMA 15

ALIMENTOS NATURALES

Objetivos de este tema

En esta lección se tratan los alimentos naturales, entendiendo como tales aquellos procedentes de la tierra, preferentemente no manipulados por el ser humano. Según la frase naturista "*Si corre, no lo comas*", solamente trataremos, por tanto, de los alimentos vegetales, la base de la alimentación natural.

Se incluyen no solamente sus características y composición en nutrientes, sino sus propiedades terapéuticas, lo que los convierte en el legado que nos dejó Hipócrates: "*Que los alimentos sean tu única medicina*".

1. PRINCIPALES ALIMENTOS

1.1. ACEITUNAS

Composición

Ácido palmítico, esteárico, oleico, linoleico y linolénico.

Fitosterina, lecitina, enzimas, pigmento, principio amargo.

Propiedades

Muy adecuada para controlar las cifras altas de colesterol, especialmente el LDL, mientras que aumenta la del DHL, el más beneficioso para la salud.

La aceituna es **tónica**, digestiva y favorece la limpieza del estómago. Ligeramente tranquilizante, antiinflamatoria, laxante y nutritiva.

El aceite alivia las resecas, corrige el ***estreñimiento***, calma el picor de la caspa y los eczemas, hidrata la ***piel seca***, reduce el exceso de jugos gástricos, contrarrestan el veneno de las setas y el pescado en mal estado.

1.2. ACELGAS

Composición

Contiene vitaminas A, B y C.

Aporta apenas 27 calorías. Tiene 90,8 gramos de agua, 1,6 de proteínas, 0,4 de grasas, 5,6 de carbohidratos y bastante calcio, fósforo y hierro.

Propiedades

Es laxante y controla la excesiva acidez de la sangre. Disminuye la producción de ácido láctico y úrico, contribuyendo a evitar las agujetas en los deportistas.

1.3. ACHICORIA

Composición

La raíz, principio amargo, inulina, intibina.

Las hojas, principio amargo, intibina, glucósido, cichorina. Ácido tánico, aceites grasos esenciales, pectinas, colina, resinas.

Propiedades

Son laxantes y un excelente alimento como restaurador de las funciones **hepático-biliares**. Favorece la expulsión de bilis al duodeno, por lo que mejora la digestión de los alimentos y especialmente de las grasas. Con su raíz tostada se fabrica un sucedáneo del café, mucho más saludable y nutritivo, además de no tener ninguno de sus efectos secundarios.

Puede consumirse incluso de noche y es apto para quitar el hábito del café, ya que mezclado proporciona un sabor similar.

Tiene importantes efectos **depurativos**, estimula el apetito y mejora la función renal sin forzarla.

1.4. AGUACATE

Persea americana

Composición

Es rico en vitaminas A, B6, C, E y casi un 30% de **grasa insaturada**, además de tener una gran cantidad de **potasio** (500 mg/100 gr) También contiene albúmina, minerales y algo de azúcar.

Propiedades

Fortalece los huesos, **mejora la visión**, evita la formación de gases intestinales y tiene efectos beneficiosos en resfriados, catarros, jaquecas y neuralgias. Ayuda a bajar el colesterol.

Tradicionalmente se cree que mejora los ***problemas sexuales*** y los trastornos circulatorios.

Externamente se emplea su aceite para afecciones reumáticas y los dolores de la gota.

Es antioxidante y aplicado en pasta mejora la ***piel áspera***, las rozaduras, las quemaduras solares y los eczemas.

Estimula el apetito, tonifica el sistema nervioso, regula la **menstruación** y alivia la tos.

La semilla del fruto, tostada y molida, es un buen diurético.

No coma aguacates si está tomando antidepresivos IMAO.

1.5. AJO

Composición

Aceite esencial con disulfuro de alilo, alina, alisina, vitaminas A, C y nicotinamida.

También hierro, fósforo, calcio, proteínas y carbohidratos.

Propiedades

Sus propiedades terapéuticas son muchas y muy importantes y abarcan desde la arteriosclerosis, los ***zumbidos de oído***, la hipertensión y la expulsión de **parásitos** intestinales. Tiene un potente efecto

antibiótico, es sudorífico, energético y en la antigüedad se empleaba con éxito para tratar las mordeduras de serpientes, de escorpiones y de los mosquitos.

Se le han encontrado efectos curativos, además, en las fiebres tifoideas, asma, bronquitis y diabetes.

Para que sea eficaz hay que ingerirlo crudo, aunque si el efecto sobre el aliento es muy intenso se puede atenuar con algo de **perejil**. De todas maneras, en el comercio existen cápsulas de ajo pulverizado o solamente a base del aceite, las cuales se absorben en el intestino y apenas se nota en el aliento.

Localmente se emplea para curar la piorrea, fortalecer las encías y los dientes, aunque para ello es obligado masticarlo o, en su defecto, comer tostadas de pan con ajo, tomate, aceite y perejil.

Se le han reconocido también importantes efectos **antirreumáticos**, aunque hay que tomarlo bastante tiempo ya que su utilidad es como curativo, no como antiinflamatorio. Actúa también como un eficaz fluidificante de la sangre, lo que es gran utilidad cuando existe riesgo de ***trombosis*** o arteriosclerosis.

1.6. ALBARICOQUE

Composición

Muy rico en vitamina A, hierro y cobre.

En el hueso se encuentra la preciada **vitamina B-15** (ácido pangámico), la cual se considera la fuente de la eterna juventud.

También contiene potasio.

Propiedades

El fruto, por su riqueza en vitamina A es adecuado para mejorar la ***visión nocturna*** y disminuir la sensibilidad a los deslumbramientos. También mejora la pigmentación cutánea por su riqueza en carotenos.

De la nuez triturada se extrae la vitamina B-15 la cual nos puede servir como antidepresiva, **rejuvenecedora** y como ahorradora de oxígeno. Esta acción es útil en disneas, insuficiencia pulmonar, asma y apneas nocturnas, y entrenamiento aeróbico intenso. Es un buen **energético** y mejora el riego cerebral sanguíneo.

Es astringente si se toma fresco y laxante cuando está seco.

El albaricoque es un eficaz antianémico, mejora los intestinos delicados, el raquitismo, la falta de apetito, los problemas del sueño y si se come con la piel es **laxante**. Estimula el crecimiento infantil y mejora las ***depresiones***.

Con el zumo se puede hacer una buena crema para el cutis.

1.7. ALCACHOFAS

Composición

Fósforo, calcio, hierro, manganeso e inulina.

Principio amargo, mucílagos, enzimas (amilasa, invertasas, catalasas, oxidasas, cinarasas, ascorbinasas).

Vitaminas A, B-1, B-2 y C.

Propiedades

Son muy populares sus propiedades para restaurar las funciones de **hígado** y **vesícula**, aunque para ello son mucho más eficaces las hojas y el tallo, los cuales por desgracia se eliminan porque son muy amargos. De todas maneras, los frutos conservan parte de sus propiedades curativas y nos ayudarán a eliminar ***cálculos biliares***, mejorar el apetito de los niños y estimular ligeramente los riñones por su efecto diurético.

Es depurativa, **digestiva** y no engorda.

El zumo preparado en licuadora es especialmente terapéutico, aunque algo amargo, por lo que se recomienda mezclarlo con zanahorias o zumo de remolacha.

Es colerética, mejora las ***dispepsias***, las flatulencias, la albuminuria crónica, las anemias postoperatorias y la arteriosclerosis.

Favorece la oxidación de los carbohidratos.

1.8. ALFALFA

La alfalfa que se utiliza para el consumo humano no contiene la fibra bruta que la recubre, imposible de digerir salvo por los rumiantes.

Composición

Contiene calcio, fósforo, magnesio, cloro, sílice, aluminio, potasio, azufre, sodio y la mayor parte de las vitaminas, incluidas la **K** y la **U**. También aminoácidos como la fenilalanina, arginina, leucina, treonina, lisina y valina, así como sustancias **estrogénicas**.

También es rica en lipasa, coagulasa, invertasa, amilasa, emulsina, peroxidasa, proteasa y pectinasa, lo cual le da unas extraordinarias propiedades en la digestión de los alimentos.

Propiedades

Es un excelente remedio interno contra la ***caída del cabello***. Mejora las ***úlceras gastroduodenales***, potencia la coagulación sanguínea, corrige la deficiencia hormonal en la menopausia, es revitalizante, antiinfecciosa inespecífica y preventiva de la arteriosclerosis.

Muy adecuada como nutriente completo en casos de debilidad, anemia, convalecencias, raquitismo y falta de apetito.

Estimula la función renal, regula la **flora intestinal**, la artritis y corrige la ictericia al reforzar las paredes vesiculares y evita el raquitismo por su contenido en vitamina D.

1.9. ALMENDRA

Composición

Aceite con ácido linoleico y oleico. Albúmina, azúcar, mucílago y enzimas.

Contiene fósforo, potasio, magnesio, calcio, hierro, azufre, cloro, aluminio, manganeso, cobre y cinc. También vitaminas A, E, B-1, B-2, PP.

Tiene un 21% de proteínas, 18% de carbohidratos y 53% de grasas.

Propiedades

Es muy **energética** y aporta calorías en abundancia en la época de los fríos. Favorecen la **lactancia** al estimular la subida de la leche materna, mejoran las afecciones del sistema nervioso y tienen un interesante efecto antiséptico a nivel intestinal.

La **leche de almendras** es un alimento especialmente recomendado para hepáticos y personas desnutridas. También se le han reconocido propiedades para mejorar el eccema infantil, las ***diarreas*** por intolerancias digestivas, mejorar su desarrollo y ayudarles a recuperarse después de las infecciones.

Externamente se emplea su aceite como suavizante de la piel y para aliviar escoceduras en los bebés, limpiar la piel maquillada y evitar las ***arrugas*** prematuras.

No deben comerse las almendras amargas por su contenido en ácido cianhídrico.

1.10. APIO

Composición

Es rico en minerales como el potasio, magnesio, hierro, azufre, fósforo, manganeso, cobre, aluminio y cinc, además de en vitaminas A, C, E y grupo B. Contiene mucha agua y celulosa, proteínas (1,5 gr), carbohidratos (5 mg.) y grasas (0,2 mg.).

El bulbo contiene, además del aceite etéreo, almidón, azúcares, colina, tirosina, glutamina, asparragina y vitaminas B-1 y B-2.

Propiedades

Es **aperitivo**, facilita la digestión, corrige los gases intestinales y muy remineralizante. Ayuda a la formación del esmalte dentario, es muy eficaz como **diurético** y para eliminar el exceso de ácido úrico. Depurativo, regenerador sanguíneo, antirreumático y ligeramente laxante, ayuda a la neutralización de toxinas y venenos, ejerciendo al mismo tiempo un efecto estimulante sobre las glándulas suprarrenal y genitales, por lo que se le considera un eficaz afrodisíaco, especialmente en varones.

También mejora las enfermedades hepáticas, combate las infecciones, favorece el crecimiento de los niños y controla las fiebres intermitentes.

Otros efectos no menos importantes son el tonificar el sistema nervioso agotado, actuar como antiestrés, ayudar a la eliminación de ***cálculos renales***, mejorar la memoria y en uso externo comportarse como un cicatrizante.

No pierde sus propiedades curativas cuando se cuece.

1.11. ARÁNDANO

Composición

Vitamina A, carotenos, hierro y taninos. Ácidos málico y cítrico, pectina, azúcar invertido.

Flavona, glucoquinina, arbutina, hidroquinona.

Propiedades

Sus frutos son un excelente remedio para las ***afecciones oculares*** en general, aunque especialmente para: mejorar la visión nocturna, impedir la degeneración y el desprendimiento de la retina, mejorar las retinopatías diabéticas, curar las hemorragias, detener las ***miopías*** progresivas, curar las varices, hemorroides y flebitis.

Sus hojas, además, son un remedio extraordinario para bajar las cifras altas de azúcar en sangre y para cortar las diarreas. También para mejorar los catarros gastrointestinales y las inflamaciones de la vejiga.

Los arándanos secos son eficaces en la diarrea.

1.12. ARROZ

Composición

La modalidad **integral** contiene en su cascarilla vitaminas del grupo B y cerca de doce minerales. Una vez refinado se convierte en un alimento energético, muy digestivo, pero sin las propiedades nutritivas que tenía antes.

Contiene 357 calorías /100 gr, 7,2 proteínas, 1,5 grasas y 77,6 de carbohidratos.

En el comercio encontramos un arroz integral muy digestivo al que se le ha eliminado la cascarilla de paja que le envuelve, muy rica en sílice pero indigesta, conservando la cutícula exterior que es la más nutritiva.

El arroz blanco contiene poco más que féculas.

Propiedades

Con un valor nutritivo igual al trigo y tres veces más alto que las patatas, constituye uno de los alimentos básicos para cualquier dieta.

Se tolera perfectamente a nivel gástrico, es muy **energético** y su metabolismo no genera enfermedades ni toxinas. Es un tónico natural, diurético, digestivo y puede ser comido incluso por aquellos que no toleren el gluten o la gliadina.

Mejora la ***hipertensión*** (solamente el integral), las hepatopatías y las ***diarreas*** moderadas. Facilita un embarazo y parto óptimo, siendo muy adecuado para dietas libres de colesterol y ácido úrico. Alivia las dismenorreas y los edemas, las dolencias urinarias, el ***ardor de estómago*** y baja el exceso de sudor.

El salvado corrige la hipercalcemia y la harina de arroz es adecuada en cataplasmas en el acné, sarampión, quemaduras y hemorroides.

1.13. AVELLANA

Composición

Es muy rico en grasas **insaturadas**, hidratos de carbono y ácidos orgánicos. Contiene vitaminas A y B, calcio, magnesio, fósforo, hierro, potasio y sodio.

Propiedades

Aunque son difíciles de digerir y hay que masticarlas largamente hasta convertirlas en papilla, su riqueza en grasas vegetales las hace muy adecuadas como alimento calórico de reserva en invierno. Son adecuadas como nutrientes en el **embarazo**, en el **crecimiento** infantil y en la diabetes.

Es reconstituyente y está indicado en procesos tuberculosos, hepatitis y en la vejez.

Tiene efectos diuréticos, mejora las varices y la patología venosa, especialmente las hemorroides.

1.14. AVENA

Composición:

Contiene potasio, azufre, fósforo, **sílice** y proteínas (35%), además de hierro, calcio, magnesio, vitaminas B, C y D, así como carotenos. Hay proteínas, glucósidos, enzimas, almidón.

También se encuentran saponinas con efectos antibacterianos, pectinas y ceras.

Con fines medicinales se emplean los granos y en menor medida la paja.

Propiedades

Es un extraordinario alimento, bien tolerado por estómagos sensibles, incluidos los niños, por lo que puede ser ingerido incluso por personas recién operadas del estómago.

Mejora las ***úlceras gastroduodenales***, el ***colon irritable*** y las gastritis, ejerciendo un discreto efecto **laxante** muy apropiado para bebés. Es un extraordinario energético de efecto inmediato y tonificador del sistema nervioso.

Estimula el tiroides, aumenta la resistencia al frío y es un energético extraordinario por su contenido en "avenosa". Estimula la producción de **hormonas femeninas** en la mujer, por lo que la hace adecuada para la menopausia y como afrodisíaco femenino. Elimina el exceso de urea y es ligero hipoglucemiante.

1.15. AZAFRÁN

Composición

Crocinas -un pigmento carotenoide emparentado con los glucósidos- picrocrocina y otras sustancias.

Propiedades

Se emplea básicamente para elaborar **colirios** y agua para lavarse los ojos.

En homeopatía tiene utilidad como antihemorrágico y antidepresivo.

Es estimulante, **digestivo**, aperitivo y también se puede emplear en las amenorreas, el exceso de colesterol, la falta de apetito y el cansancio. Externamente alivia los dolores de dientes y mejora la ***gingivitis***.

Con el azafrán se prepara el Láudano y un eficaz analgésico dental.

No tiene toxicidad, aunque en dosis altas puede ser abortivo y producir alteraciones renales.

1.16. BANANAS

Composición

Agua 78%, glúcidos 18%, grasas 0,2%, vitaminas A, C, E y B3, potasio, fósforo, magnesio, hierro.

Propiedades

Mejora la hipertensión, calma el ardor de estómago y es un alimento energético en **deportistas**, niños y mujeres lactantes.

1.17. BERENJENAS

Composición

Contiene 29 calorías / 100 gr 1,0 de proteínas, 0,3 de grasas, 6,3 de carbohidratos, 23 mg de calcio, 31 mg de fósforo.

Propiedades

Ligeramente indigesta y algo desaconsejadas a personas artríticas, tienen como principal efecto el ser **diurética**. Su aceite se emplea para mejorar las afecciones reumáticas y activar la circulación sanguínea mediante ligeros masajes. Para lograrlo bastará con freír durante dos horas la piel de las berenjenas en abundante aceite, procurando que no se quemen. Después lo conservaremos en un recipiente bien cerrado de cristal.

La berenjena bien cocida es un remedio agradable para el ***insomnio***, disminuye el **colesterol** sanguíneo y aumenta la producción de orina.

1.18. BONIATO

Composición

Vitamina E, betacarotenos, vitamina A, hierro y potasio.

Propiedades

Es nutritivo, **antioxidante**, energético. Ayuda a mejorar las cardiopatías, los trastornos visuales, la ***anemia*** y potencia en sistema defensivo.

1.19. BRÉCOL

Composición

Es rico en vitamina A, calcio, fósforo, hierro, **ácido fólico**, potasio, magnesio, cinc, **selenio** y vitaminas C y E.

Propiedades

Se emplea en aplicaciones medicinales similares a la col y coliflor. Tiene interesantes propiedades como **antioxidante**, y su contenido en indoles le otorga propiedades anticancerígenas importantes, especialmente en los tumores inducidos por estrógenos.

1.20. BERROS

Composición

Es rico en vitaminas A, D, E y C.

También tiene **yodo**, hierro, aceite esencial y un glucósido de aceite de mostaza.

Propiedades

Posee importantes acciones como desinfectante y **antibiótico**, por lo que puede ser consumido en ensalada en momentos de fiebres o infecciones.

Tomado crudo es muy eficaz en las enfermedades broncopulmonares y en la tuberculosis. Para un mejor efecto hay que extraer su jugo el cual tiene un buen efecto sobre el metabolismo y las secreciones biliares. Es depurativo en las afecciones de la piel, mejora la patología de la garganta y aumenta las defensas orgánicas.

Externamente se emplea su jugo para tratar afecciones dérmicas.

1.21. CACAHUETES

Composición

Es muy rico en grasas, sales minerales (sílice, azufre, cloro, cinc, boro, cobalto, potasio, hierro, manganeso, **cobalto**, flúor y yodo) y vitaminas de grupo B, especialmente ácido pantoténico, fólico e inositol.

Contiene un 77% de grasas poliinsaturadas la mayor parte, proteínas de alto valor biológico y algo de vitaminas A, C, E y D. La vitamina B-1 se pierde cuando se tuestan.

Su valor calorífico es altísimo, 2.500 calorías en medio kilo.

Propiedades

Aporta muchas calorías, por lo que se aconseja en los deportistas y para los meses de invierno.

Su aceite se emplea para dar masajes deportivos y terapéuticos y para quitar las arrugas.

Se le reconocen propiedades **astringentes** y contra los ***cólicos hepáticos***, así como cierta protección en el sistema nervioso.

Sus ácidos grasos no saturados son útiles para controlar los niveles de colesterol, impedir la degeneración del sistema nervioso y mejorar la artritis.

1.22. CACAO

Composición

Contienen casi un 50% de su peso en manteca de cacao, la cual se extrae para dejar solamente el polvo, el cual se emplea posteriormente para elaborar bebidas. Estas son ricas en proteínas, minerales (aunque quizá su hierro sea poco asimilable) y vitaminas A y B. Contiene también **teobromina** y **cafeína**.

Propiedades

El cacao, bien sea con leche o como chocolate, es indudablemente una fuente nutritiva y energética de primera categoría. El mayor problema que tiene es su digestibilidad, mucho más acentuada cuando lo tomamos mezclado con otros alimentos como puede ser leche, nata, mantequilla o azúcar. Si nuestro estómago no se resiente, adelante. Pues es un alimento muy energético.

Sin embargo, su consumo excita el sistema nervioso, crea dependencia y síndrome de abstinencia si lo dejamos de consumir, aumenta las tasas de colesterol y perjudica seriamente a los hepáticos.

El cacao contiene un alcaloide, la teobromina

Cascarilla de cacao

Se trata de un subproducto natural que se obtiene después de la maduración y tueste del haba del cacao, la cual posee una serie de ventajas nutritivas. Tiene una composición similar a la harina, pero sin los excitantes de ésta y muy pocas grasas. Es rica en vitamina D, **no contiene cafeína**, y tiene propiedades diuréticas. Se prepara como una infusión normal.

1.23. CALABACINES

Composición

Contienen un 90% de agua, 8 calorías por 100 gr y un 2% de azúcar, además de mucílagos, cucurbitacina y resinas. También grasas, vitaminas y minerales en abundancia.

Propiedades

Se digiere con facilidad, aunque para favorecer este proceso es conveniente eliminar el agua que contiene. Se le reconocen propiedades como antitóxico, **depurativo** y diurético, siendo muy empleado para dietas de adelgazamiento. Es laxante, mejora la gota, el reuma, la artritis y las cistitis.

Es desintoxicante inespecífico, mejora las enfermedades en general y posee un ligero efecto **sedante**.

Se emplea para favorecer la curación de las afecciones renales y la eliminación de los **parásitos intestinales**.

1.24. CANELA

Composición

Aceite esencial, aldehído cinámico, tanino, terpenos, oxalato cálcico y almidón.

Propiedades

Es **afrodisiaca**, digestiva, tónica y aperitiva. Mejora las digestiones pesadas, la flatulencia y la úlcera gastroduodenal.

1.25. CARDOS

Composición

Es muy rico en calcio, **hierro** y pobre en calorías.

También tiene alcaloides, taninos, aceite esencial, resinas y flavonas.

Propiedades

Son laxantes, remineralizantes y beneficiosos para el **hígado** y vesícula. Aumenta la producción de bilis, estimulan el apetito y favorecen la función renal deprimida.

Se emplean también como remedio contra el reuma, la ***artritis***, y las convulsiones.

1.26. CASTAÑAS

Composición

Es un fruto rico en almidón, féculas, azúcar y pocas calorías (191), conteniendo un 35% de carbohidratos.

También taninos, **potasio**, vitaminas B.

Propiedades curativas

Aunque difícil de digerir por estómagos delicados cuando se toman al natural, cocidas y tostadas a la parrilla son muy digestivas. En cambio, asadas al horno son más indigestas.

Se pueden utilizar como **energéticas** en personas con gran desgaste físico o debilitadas. Es adecuada, por tanto, en niños, embarazadas y ancianos ya que les aportan muchos minerales, los cuales actúan como tónicos musculares y nerviosos. Mejoran las varices y las hemorroides.

Aumentan la producción de leche en las embarazadas y están **contraindicadas en la diabetes.**

La denominada como castaña pilonga es la seca, con un contenido en hidratos de carbono del 85%.

1.27. CEBADA

Para obtener malta hay que germinar los granos y secarlos en un horno, para molerlo a continuación y así obtener un producto similar al café.

Composición

Flúor, fósforo hierro, calcio. Vitaminas B-1, B-2, niacina y gluten.

Contiene 348 calorías /100 gr 9,7 proteínas, 1,9 grasas, 75,4 carbohidratos y bastante **calcio**.

Propiedades

Es depurativa, remineralizante, mejora las ***fiebres*** y las diarreas. Con ella se prepara la **malta**, un extraordinario alimento energético que puede sustituir al café ya que no excita ni tiene efectos secundarios. Mejora la digestión, fortalece los dientes, estimula el corazón y las funciones hepáticas. Posee efectos como hipertensora, refrescante, estimulante de la circulación y digestiva.

Suaviza los riñones y las irritaciones de la vejiga y combate la ***acidez de estómago***.

1.28. CEBOLLA

Composición

Contiene **azufre**, flúor y abundancia de vitaminas B y C.

También aceites esenciales y azúcares.

Propiedades

Aunque no sea una aplicación recomendable en sociedad, la mejor manera de desinfectar la boca es masticar un poco de cebolla cruda. También, es depurativa, **antibiótica** potente, diurética y favorecedora del sueño, especialmente mezclada con lechuga.

Ayuda a expulsar parásitos intestinales si la mezclamos con el Tomillo, está indicada en ***afecciones gripales* y *bronquitis***, siendo rica en vitaminas A y C.

Mejora las afecciones hepáticas, la diabetes, las infecciones renales, las erupciones de piel y la eliminación de cálculos renales. Mezclada con limón mejora los trastornos del estómago y si le añadimos manzana también las hepáticas.

Externamente la cebolla se emplea para que maduren los abscesos de la piel, aplicándola en forma de cataplasma que se renovará cada dos horas.

Mezclada con ajo dice que cura las picaduras de arañas e incluso la de algunas serpientes.

También se emplea en la gota, las varices, las hemorroides, el reumatismo, la ciática, las enfermedades del corazón y el ***insomnio***. Tiene una legendaria reputación para mejorar la visión nocturna, la fatiga visual, las cataratas e incluso la miopía. Para ello bastará con aplicar cada noche una pequeña cantidad de zumo de cebolla diluido en los ojos.

Si deseamos comerla cruda en ensalada es conveniente ponerla en remojo en agua durante media hora, ya que es algo indigesta.

1.29. CENTENO

Un hongo venenoso que vive como parásito en la planta y llega a destruir el grano, sirve para extraer el cornezuelo de centeno, **una sustancia medicinal ampliamente utilizada como vasodilatador uterino y periférico.**

Mediante su destilación se fabrica el Bourbon, la ginebra y el whisky.

Composición

Contiene 334 calorías/100 gr 12,1 proteínas, 1,7 grasas, 73,4 carbohidratos y 2,0 de fibra. También tiene **fósforo** en abundancia, calcio, hierro, rutina y vitaminas B-1, B-2 y niacina.

Propiedades

Se empleará como **energético** en aquellas personas que necesiten un aporte calórico que no engorde, para desarrollar la musculatura y como tónico cerebral y nervioso. Tiene propiedades laxantes.

Mejora la fragilidad capilar, es adecuada para los diabéticos, los hipertensos, para mejorar las encías inflamadas, los ***sabañones*** y las retinopatías.

1.30. CEREZAS

Composición

Contiene un 85% de agua, sacarosa, levulosa, vitamina C, **carotenos**, hierro, potasio, magnesio, cinc, cobre, calcio y fósforo.

Propiedades

Se le reconocen importantes acciones **adelgazantes** por su efecto diurético y la gran cantidad de celulosa, aunque el fruto es menos eficaz que los pedúnculos (rabos). Se emplea con gran éxito en el tratamiento de la ***celulitis***. Es laxante y antianémica.

No se deben comer los huesos porque son tóxicos.

También tienen propiedades como energéticas, regeneradoras de células y tejidos, como adelgazantes y para combatir la artritis, la arteriosclerosis y el reumatismo. Favorece igualmente la curación de la ictericia, la diabetes, la eliminación del **ácido úrico** y los trastornos intestinales.

Externamente, una papilla de cerezas machacadas aplicada sobre la piel tiene un extraordinario efecto regenerador.

También es muy popular el licor de cerezas que se prepara lavándolas bien con agua caliente y metiéndolas en la botella con azúcar. Después se añade el aguardiente y se tapa herméticamente durante dos meses.

1.31. CILANTRO

Coriandrum sativum

Propiedades

El coriandro o cilantro se emplea como condimento en los trastornos digestivos, ***flatulencia*** e inapetencia, como tonificante del sistema nervioso y antiespasmódico.

Masticar unas hojas o los frutos secos elimina el mal aliento de los fumadores.

<u>**En dosis altas puede producir un efecto similar a las borracheras por su efecto tóxico sobre el sistema nervioso.**</u>

1.32. CIRUELAS

Composición

Son ricas en **hierro** y calcio, especialmente la variedad de ciruela pasa, la cual contiene un 70% de carbohidratos, entre ellos un 44% en azúcares.

También, vitaminas A, B y C, magnesio, potasio, manganeso y sodio.

Propiedades

Sus efectos como **laxante** son bien conocidos en el mundo entero, aunque para ello se suele utilizar la ciruela pasa, puesta en remojo durante una noche y bebiéndose el agua, más la ciruela, nada más levantarse.

Esta es una estupenda solución para curar el ***estreñimiento***, aunque no tiene porqué hacer efecto el mismo día.

Las ciruelas frescas también conservan parte de sus propiedades como laxantes y es conveniente mezclarlas con naranja en niños estreñidos. Así tendremos un alimento energético y vitamínico de primer orden y un laxante suave y eficaz, sin efectos secundarios. Si, además, lo mezclamos con yogur, el efecto es más completo.

Son estimulantes del sistema nervioso, muy energéticas, diuréticas y descongestionantes para el hígado.

1.33. CHUFAS

Pequeña y arrugada, de color marrón claro, es una fruta muy popular aunque de consumo bastante restringido. Se encuentra en terrenos abundantes en agua y se cosecha en Valencia.

Composición

Es muy rica en celulosa y **aceites**.

Propiedades

La horchata de chufa, elaborada mediante su prensado, es un alimento muy **energético** y bastante bien tolerado, lo que no suele ocurrir cuando se la come cruda. Tiene efectos **laxantes**.

La fruta seca es bastante indigesta, por lo que se hace imprescindible ponerla a remojo en agua unas horas antes, hasta que se ablande y se hinche.

1.34. COCO

Composición

Es rico grasas, la mayoría **saturadas**, enzimas, en vitamina C y sales minerales como el potasio, hierro, magnesio, cloro, sodio, cobre, fósforo y calcio.

Propiedades

Con su aceite se fabrica un bronceador muy popular, aunque hay que tener precaución con el sol ya que acelera mucho el bronceado y no cuenta con filtro solar.

Fortifica los nervios, el intestino y el estómago y ejerce un ligero efecto **sedante** si se toma antes de dormirse. Es purificador general sanguíneo, desinfectante y restaura las **energías** perdidas. Previene los cólicos intestinales y facilita la digestión.

El coco es uno de los pocos alimentos naturales que posee un exceso de grasas saturadas.

1.35. COL (Berza)

Composición

Contiene vitaminas A, B, C y U, así como hierro y **azufre**. También calcio, magnesio, fósforo, potasio, hierro, cinc y **yodo**.

Propiedades

Es el mejor remedio, guisada o en forma de zumo, contra la ***úlcera gastroduodenal.***

También ayuda a curar las enfermedades reumáticas y las hepatopatías. Es difícil de digerir y por ello es posible que se pierdan sus propiedades nutritivas en la cocción, por lo que se recomienda no tirar el caldo. También son adecuadas en las enfermedades crónicas de las vías respiratorias, la ***afonía*** y para desinfectar el aparato intestinal, incluso de parásitos.

Las hojas se pueden emplear directamente como una cataplasma para aliviar dolores reumáticos, lumbalgias, ciáticas y neuralgias. También se pueden emplear estas cataplasmas en las ***bronquitis***, la congestión hepática, las cistitis, las dismenorreas y la prostatitis, así como para madurar forúnculos y curar úlceras varicosas.

Antiguamente se empleaba el jugo para aliviar los ojos ulcerados, evitar el malestar por un exceso de comida, y para corregir el efecto del alcohol.

Por su contenido en ácido láctico desinfecta el colon, aunque en este caso es mejor emplear la **col fermentada**. También mejora los dolores de cabeza, previene del cáncer y externamente se puede aplicar en psoriasis, úlceras, chichones, forúnculos, heridas y eczemas.

El jugo crudo se toma para el asma, la cistitis, bronquitis, neuralgias, contra la tos y en gargarismos para irritaciones de garganta.

Se trata del alimento más eficaz contra las gastritis y úlceras gástricas

La **Lombarda** es un tipo de **col roja** que se come casi exclusivamente en ensalada y si añadimos zumo de limón evitaremos que pierda el color característico. Si nos parece algo dura la podemos hervir durante dos minutos y luego enfriarla totalmente.

1.36. COLES DE BRUSELAS

Composición

Contienen 50 calorías / 100 gr 5,2 de proteínas, 9,9 de carbohidratos, calcio, fósforo, **hierro**, vitamina A, C y complejo B.

Las coles de Bruselas hay que lavarlas bien y utilizarlas con prudencia los afectados por bocio o hipotiroidismo.

Propiedades

Sus propiedades son similares a las de la coliflor, aunque su mayor riqueza en **proteínas** hace que la deban comer con precaución los gotosos y enfermos de reuma.

1.37. COLIFLOR

Composición

Vitamina C y un 6% de proteínas.

Aporta 33 calorías, 2,8 de proteínas, 6,5 de carbohidratos y bastante calcio, fósforo, **vitamina C** y complejo B.

También se le encuentran hormonas vegetales.

Propiedades

Estimula la secreción de hormonas, es depurativa, **laxantes** y remineralizante.

Tiene un moderado efecto **sedante**.

Mezclada con otras verduras de hoja verde ayuda a que se absorba la clorofila que contienen.

Para eliminar los pequeños bichitos que suele contener hay que sumergirla previamente en agua con vinagre.

1.38. COL FERMENTADA

Se trata de un producto apenas comercializado en España, pero muy consumido en los países nórdicos y germanos.

Producida merced a los microorganismos Leuconostoc mesenteroides y plantarum, entre otros, produce enzimas que degradan las pectinas y que mejoran la **digestión**.

Composición

Contiene abundancia de vitamina C, Vitaminas A, B1, B2 y PP, hierro, fósforo, calcio, **potasio** y sodio. Proteínas 2 gr/100 mg y carbohidratos 4 gr/100 mg.

Propiedades

Es un excelente plato para **adelgazar** y estimular el metabolismo. Es un nutriente completo que no contiene apenas grasa y que tiene positivas acciones contra las bacterias y especialmente contra los hongos.

Regenera la flora intestinal, impide el desarrollo de bacterias patógenas y parece ser que prolonga la vida.

1.39. COMINO

Composición

Flavonoides y esencia.

Usos medicinales

Digestivo, **carminativo**, galactógeno. Se emplea con éxito en la prevención de la aerofagia.

Tiene la propiedad de evitar que se forme gas intestinal, por lo que su efecto es mayor tomado durante las comidas, incluso mezclado con ellas, especialmente en las legumbres.

Estimula la lactancia, provoca la menstruación y la diuresis y ayuda a expulsar parásitos intestinales.

Las cataplasmas calientes alivian las orquitis.

1.40. DÁTILES

Composición

Esencialmente energéticos (300 cal./100 gr), contiene un 70% de **azúcares** de rápida asimilación, vitaminas A y B, sales minerales y fibra. Hay 1,8 gr de proteínas, 72 gr de carbohidratos y grandes cantidades de calcio, fósforo y magnesio.

Propiedades

Constituye el alimento básico de las tribus nómadas del desierto, los cuales pueden sobrevivir muchas semanas alimentándose solo de esta exquisita fruta. Se le atribuyen importantes efectos **afrodisiacos** y son ligeramente **laxantes**.

Su gran poder calórico le hace contraindicado en personas con fiebre y diabéticos.

Es un excelente **tónico** muscular y nervioso, previene del envejecimiento, favorece el crecimiento infantil, ayuda a curar las anemias, el raquitismo y la tuberculosis.

Tiene un ligero efecto diurético, mejora la función hepática, ayuda a combatir la ***tos*** (hay que cocerlo), estimula el apetito y combate los sudores excesivos.

1.41. DIENTE DE LEÓN

Composición

Taraxacina, taraxantina, levulina, carotenos, **colina**, almidón, saponina, cera, proteínas, azúcar, inulina, numerosas vitaminas, **sílice**.

Se encuentran también **esteroles**, aminoácidos, taninos, caucho, triterpenos y vitamina C.

Propiedades

Tiene extraordinarias propiedades curativas en las *afecciones hepáticas*, en la insuficiencia biliar, para eliminar cálculos vesiculares y como diurético.

Se emplea con éxito en la diabetes. Es eficaz contra el reuma, estimula la función renal y tiene buenos efectos como depurativo.

La infusión diluida sirve para lavados oculares, utilidad que dio origen a su nombre, taraxis-taraxacum, que significa inflamación ocular.

Las flores confitadas en azúcar se utilizan para calmar la tos y dejadas en maceración en vino dan lugar a un licor medicinal muy apropiado para bebedores ya que protege al hígado de los efectos perjudiciales del alcohol.

La mejor manera de comer el diente de león es en ensalada, con aceite, vinagre y sal

1.42. ENDIBIAS

Composición

La misma que la achicoria.

Propiedades

Recomendada para regímenes de ***adelgazamiento*** por sus escasas cualidades nutritivas tiene, sin embargo, estupendas aplicaciones como medicinal en las hepatopatías, la insuficiencia biliar y la ***diabetes***. Es aperitiva y facilita la digestión de las grasas.

1.43. ESCAROLA

Composición

Vitaminas C, A, **sílice**.

Aporta 20 calorías, 1,7 de proteínas, 4,1 de carbohidratos, calcio, vitamina B-2.

Propiedades

Es diurética, **laxante**, estimulante del apetito y remineralizante.

1.44. ESPÁRRAGOS

Composición

Vitaminas A, B y C. Las puntas verdes son ricas en proteínas, asparragina, **tirosina** y clorofila.

También contiene saponinas, taninos, rutina, potasio, fósforo y **flúor**.

El olor que da a la orina es por el metilmercaptano.

Propiedades

Es un extraordinario diurético natural, aunque dan un fuerte olor a la orina. No obstante, usados frecuentemente pueden llegar a irritar la vejiga urinaria a causa de su contenido en asparragina, por lo que se recomienda moderación.

Tiene un moderado efecto sedante. Ayuda a la digestión, es tónico hepático, mejora el síndrome premenstrual, mitiga el dolor de *senos*, mejora la artrosis y ayuda a la eliminación de toxinas por la orina.

Contiene muchas purinas, por lo que deben evitarlo los **gotosos.**

1.45. ESPINACAS

Composición

Es rica en **hierro** (3,2 mg.), **yodo**, calcio, fósforo, clorofila y vitaminas A, B y C.

Propiedades

Se emplean básicamente como alimento para casos de ***anemia*** y fatiga, teniendo un discreto poder diurético.

Aunque la cantidad de hierro que contienen no es tan alta como el célebre Popeye decía, lo cierto es que resulta muy asimilable y muy bien tolerado por estómagos sensibles, incluso más que el que se encuentra en las legumbres.

Es especialmente útil, por tanto, en embarazadas, ancianos y mujeres con períodos abundantes.

Es laxante, aumenta las defensas orgánicas contra las infecciones y mejora las heridas, llagas y forúnculos.

Es una de las pocas verduras de las que no se puede aprovechar el caldo de su cocción ya que desprenden ácido oxálico, lo que puede dar lugar a la formación de arenillas en los riñones.

1.46. FRAMBUESAS

Composición

Es muy rica en **levulosa**, ácido cítrico, ácidos orgánicos, taninos, pectinas y vitamina C.

Propiedades

Es laxante y muy **refrescante**. Con su zumo se elabora un elixir para suavizar afecciones de garganta.

Tiene efectos como reconstituyente, antihemorrágico y para mejorar las facultades intelectuales. Combate las dermatosis en general, el reumatismo y la gota, siendo de especial utilidad durante las ***enfermedades eruptivas*** infantiles como el sarampión y la escarlatina. Baja la fiebre y calma los dolores de oído.

Mejora las inflamaciones urinarias, la diabetes y la anorexia.

1.47. FRESAS

Composición

Contiene calcio, fósforo, hierro, potasio, ácidos orgánicos, taninos y vitamina C. También fructosa, **ácido salicílico,** un agente antibacteriano, azúcar, pectina y aromas.

Vitaminas C, B, E y K.

Propiedades

Se emplea como estimulante de la orina, en reumatismos y en casos de alcoholismo crónico o agudo. Alcaliniza la sangre por lo que está indicado en casos de ***gota***, mejora las anemias, la hipertensión, el estreñimiento y las ***hemorroides***.

Tiene efectos positivos contra las fiebres tifoideas y masticándolas lentamente disuelve el sarro dental. También ayuda a disolver los cálculos renales y biliares.

Alcaliniza también la orina, mejora las enfermedades hepáticas y es muy adecuada para convalecientes y enfermos por su fácil digestión y porque refuerza las defensas.

Se le atribuyen propiedades para alargar la vida, ya que parece ser un poderoso regenerador cutáneo y depurativo sanguíneo.

1.48. GARBANZOS

Composición

Hierro, **proteínas**, fibra.

Propiedades

Son un estupendo **alimento energético**, muy adecuado como dieta básica para adolescentes y personas sometidas a grandes esfuerzos. Imprescindible en casos de anemias, deportistas y habitantes de regiones muy húmedas.

Se ponen en remojo tres días antes para que comience la germinación y con ello sus propiedades nutritivas.

1.49. GRANADA

Composición

Contiene **potasio**, fósforo, cloro, magnesio, calcio y sodio. Vitaminas A, B y C.

Propiedades

La pulpa es astringente, **depurativa** y parece ser que estimulante sexual. También se emplea el jugo para realizar gargarismos en afecciones leves de garganta.

El zumo sin diluir se emplea para dar lozanía a los cutis pálidos. Para ello basta frotarlo directamente por la piel y el efecto positivo lo conseguiremos en pocos días.

1.50. GROSELLA

Hay dos especies bien definidas, el grosellero de racimos y el espinoso denominado más comúnmente como zarzamora. El grosellero negro es el más empleado, incluso en medicina natural.

Composición

Ácidos málico, cítrico y tartárico.

Vitaminas C y P, pigmentos, **flavonoides**, **antocianinas**, potasio, calcio, fósforo, hierro y bromo, pectina, azúcar, ácidos orgánicos, antisépticos vegetales y tanino.

Propiedades

Además de las propiedades **refrescantes** de su zumo se emplea con eficacia en las enfermedades reumáticas, procesos inflamatorios en general e incluso dolorosos. Es un buen remedio para la **gota**, la gripe y las hepatopatías. Es diurético, **sudorífico**, estimulan el sistema nervioso, mejoran el organismo en general, aumentan la defensa contra las infecciones y se comportan como adaptógenos.

Sus hojas se emplean como antidiarreicas y para estimular el apetito.

Las gárgaras de bayas se emplean para curar anginas.

1.51. GUISANTES

Composición

Calcio, hierro y fósforo.

Propiedades

Son **reconstituyentes** y muy energéticos. Ayudan al desarrollo óseo, siendo adecuados, por tanto, en las **embarazadas** y jóvenes. Tonifican el sistema nervioso.

La especialidad culinaria "guisantes con jamón" se digiere muy mal y no es aconsejable para estómagos delicados. Los niños pequeños deberían tomarlos solamente en puré.

1.52. HABAS

Composición

Proteínas, carbohidratos, calcio, fósforo, **hierro**, vitaminas B y C.

Propiedades

Es un alimento muy energético, aunque tarda mucho tiempo en digerirse. Ayuda al **desarrollo muscular** y mejora las anemias.

No hay que confundir con las habichuelas o judías secas.

1.53. HIGOS

Composición

Es rico en azúcares y mucilagos. También contiene **pectina**, **ácidos orgánicos**, grasa, albúmina y vitaminas A, C y B. Minerales como el hierro, fósforo, calcio.

Propiedades

Son un excelente remedio para ***afecciones broncopulmonares*** que cursen con abundante producción de mucosidad. Tomados secos o mejor aún hervidos en leche o vino, constituyen un tratamiento eficaz para aliviar rápidamente los fuertes ***catarros*** invernales.

Especialmente **energéticos, laxantes** y muy nutritivos, acortan sensiblemente la convalecencia de las enfermedades del aparato respiratorio.

Es muy recomendable para deportistas ya que además de energético favorece la recuperación muscular, mantiene en buen funcionamiento el sistema gástrico e intestinal y posee un razonable efecto diurético.

El jugo posee propiedades anticancerígenas y reduce al calor interno.

Los higos frescos se pueden poner directamente sobre los forúnculos o úlceras bucales y también son adecuados después de comer para asegurarse una buena digestión.

1.54. HUEVOS

Aunque no es un alimento vegetal, su alto consumo mundial y lo decisivo que resulta en cualquier dieta natural, obligan a incluirlo en esta lista de alimentos saludables.

Contenido

La yema contiene grasas (22,2 gr), **proteínas** (16,0 gr), **hierro** (6,0 mg), **calcio** (117 mg) y vitaminas A, D, E, B-12 y ácido fólico. La clara no tiene grasa, algo de agua y, sin embargo, es rica en **albúmina**, una proteína de gran valor biológico. Para final, la menospreciada cáscara contiene gran cantidad de calcio.

La clara cruda contiene un elemento (la avidina) que provoca carencias de vitaminas del grupo B.

1.55. JUDÍAS BLANCAS

Composición

Contienen **arginina**, asparagina, vitamina C, minerales y almidón.

Propiedades

Tienen acciones similares al resto de las leguminosas de vaina, en especial su efecto diurético. Mejora las afecciones renales, cardíacas y reumáticas.

1.56. JUDÍAS VERDES

Composición

Contienen calcio, hierro, **yodo**, vitaminas A, B y C, así como mucha **clorofila**. Pobres en calorías, apenas 18 por 100 gr, contienen un 87% de agua, 0,2% de grasas y un 2% de celulosa.

Propiedades

Son muy digestivas. Tienen un buen efecto **hipoglucemiante**, especialmente si se bebe el caldo de cocción en ayunas, alivia los dolores reumáticos y ayuda a mejorar las hepatopatías.

Es, por tanto, un alimento especialmente recomendado a los ***diabéticos*** y por la gran cantidad de clorofila a los anémicos. Se emplea también por sus efectos diuréticos y depurativos, así como para mejorar las ***enfermedades hepáticas***.

Las vainas de las judías son un remedio tradicional de la fitoterapia para el tratamiento de la diabetes

1.57. KIWI

Composición

Vitamina C, calcio, **fósforo**, magnesio, hierro.

Propiedades

Estimula la **memoria**, es **laxante** y facilita la expulsión de parásitos intestinales. Se le atribuyen propiedades rejuvenecedoras.

1.58. LECHE

Al igual que antes mencionamos los huevos, la leche ocupa una posición de privilegio entre los considerados alimentos saludables, especialmente para los niños.

Los adultos prefieren consumirla en sus derivados lácteos, como el yogur y el queso, lo que aporta nuevas ventajas a este alimento. Los helados son otra buena opción para tomar leche con un exquisito sabor.

Composición

La leche de vaca contiene gran cantidad de **proteínas**, grasas, carbohidratos, calcio, vitamina A y B2. Contiene también 160 mg de **calcio** por 100 gr, 91 mg de **fósforo** y gran cantidad de vitaminas del grupo B y C, las cuales se pierden en su mayoría en el procesado imprescindible.

Es, pues, un alimento bastante completo y consumida como yogur o queso suele reunir todas las cualidades y casi ninguno de sus inconvenientes.

Leches vegetales

La legislación no permite en la actualidad denominar leche a la que no procede de mamíferos aunque su aspecto sea similar.

Las "leches vegetales" comercializadas son las de **soja** y **almendras**, ambas muy saludables, nutritivas y a unos precios asequibles. Se pueden tomar en sustitución de la de vaca.

1.59. LECHUGA

Composición

Contiene **magnesio**, hierro y vitaminas A, B, C y **E**.

Propiedades

Es un inductor al **sueño**, mucho más mezclado con cebolla cruda. También es refrescante, **aperitiva**, colagoga y estimulante de la digestión.

Se considera que tiene propiedades para regenerar los organismos envejecidos prematuramente, purifica la sangre, es diurética moderada y evita la formación de putrefacciones intestinales. Es eficaz en taquicardias y reduce la tos intensa.

Es muy bien tolerada por los enfermos del estómago y ayuda a la asimilación de los nutrientes presentes en los alimentos.

1.60. LENTEJAS

Composición

Son ricas en **proteínas** de alta calidad biológica, pobres en grasas y altas en carbohidratos. Tienen abundancia en minerales como el **hierro**, fósforo, sodio, así como vitaminas A, tiamina, B-2, niacina y vitamina C.

Propiedades

No es casualidad que la Biblia considerase a las lentejas un alimento similar al oro y una prueba de ello fue que Esaú renunció a ser el primogénito por un plato de lentejas.

Se emplea por su alto contenido en hierro biológico, muy asimilable. Además, su gran riqueza en proteínas hace que se forme quelato de hierro y, por tanto, su biodisponibilidad es muy alta.

Hay que comer lentejas al menos dos veces por semana en casos de anemias.

1.61. LIMÓN

Composición

Un limón puede aportar 35 calorías/100 gr, un 89% de agua, 7% de carbohidratos, 0,5% de grasas, 0,7% de proteínas, calcio, cloro, hierro, **yodo**, cobre, fósforo, magnesio, potasio y cinc, además de vitaminas **C** y B.

También se encuentran ácidos málico, cítrico y fórmico, inositol y cumarinas.

Propiedades

Es remineralizante, refrescante y alcalinizante, aunque su contenido en ácido pueda indicar lo contrario. Sus ácidos, al llegar al estómago, generan alcalinos (carbonatos) y neutralizan, por tanto, la excesiva acidez estomacal.

Se piensa que es bueno para el corazón y que tiene una buena acción protectora sobre la **pared vascular**, aunque este efecto es más intenso con la cáscara que con el zumo. Mejora la hipertensión, la coagulación sanguínea y la cicatrización de las heridas, favoreciendo la absorción del **hierro**.

Estimula el sistema nervioso, ayuda a mejorar las funciones biliares (especialmente **mezclado con aceite de oliva**) y provoca sudor y, por tanto, baja la fiebre. Se le encuentran acciones positivas contra el envejecimiento, el reuma y la gota, además de contribuir a eliminar parásitos intestinales.

Externamente se le reconocen acciones para desinfectar heridas. También refuerza las defensas orgánicas, los gargarismos ayudan a curar la ***amigdalitis*** y tiene un buen efecto tónico.

La esencia de limón, absorbida por vía sublingual calma los dolores de cabeza en pocos minutos.

Como precaución, el zumo de limón puro no debe ser consumido, salvo diluido con agua y con parte de su fibra, pues así la absorción intestinal será lenta. Otra manera muy eficaz es tomar gajos de limón, comiendo incluso la cáscara.

El zumo de limón ayuda a **adelgazar** y mezclado con agua y azúcar mejora los ***estados gripales***.

Es una buena loción para mejorar la ***piel grasa***, las espinillas y la seborrea capilar. Tiene una gran acción refrescante y sus propiedades incluso pueden pasar a través de la piel.

Como dentífrico limpia y **blanquea los dientes**, aunque hay que emplearlo solamente dos veces en semana.

Alivia las picaduras de insectos, los pies cansados, los sabañones y suaviza la piel de las manos.

1.62. MACA

Composición

Almidón, maltosa, fructosa, taninos, ácidos grasos, calcio, fósforo, silicio, cobre, manganeso, **aluminio**, cinc, bismuto y vitaminas B1, B2 y C. También cantidades importantes de **arginina**.

Propiedades

Regula el sistema cardiovascular e inmunológico, es **antidepresivo**, energizante y antienvejecimiento. Es adecuado en la menopausia, osteoporosis, **prostatitis**, alopecia, asma, hipertensión y diabetes.

Se emplea para aumentar la fertilidad en la mujer por su alto contenido en **estrógenos**.

1.63. MAÍZ

Medicinalmente se emplean los estigmas de las flores femeninas, que se recolectan cuando empiezan a aparecer en la cúspide de las espigas.

Composición

Contiene la mayoría de las vitaminas del grupo B, salvo el ácido nicotínico o PP, por lo que su consumo puede dar lugar al desarrollo de la pelagra si se usa de forma preferente. Es muy rico en **féculas** y pobre en albúmina.

Los estigmas contienen saponinas, aceite esencial, taninos.

El endosperma contiene fécula, proteínas, grasa rica en **aceites esenciales**, vitaminas A y E y magnesio.

Propiedades

Los frutos del maíz se emplean directamente de la mazorca, bien para comerlos directamente o para extraer su aceite. Ese líquido resultante es de suma utilidad como preventivo de las ***afecciones cardiacas***, para el tratamiento del exceso del colesterol, para bajar la tensión sanguínea alta y en regímenes adelgazantes.

La harina se puede utilizar para elaborar papillas muy adecuadas en enfermos del aparato digestivo, para convalecientes y para personas alérgicas al gluten.

1.64. MANGO

Composición

20% de azúcares, **carotenos**, vitamina C, azufre, calcio, magnesio.

Propiedades

Diurético, laxante, **galactógeno**.

1.65. MANZANA

Composición

Vitaminas B1, B2, PP y C, además de potasio, sodio, hierro, calcio, cloro, **azufre**, manganeso, cobre, arsénico, fósforo y magnesio. Es rica en **fructosa** y glucosa.

Contiene también ácidos **málico** y cítricos.

Tiene 85 gr de agua, 0,3 gr de proteínas, 0,4 gr de grasas y 13 gr de carbohidratos. También 1,1 gr de fibra y proporciona 58 cal./100 gr

Propiedades

Las cualidades terapéuticas son diferentes según se emplee la manzana madura, asada o como sidra. Si la tomamos cruda -rallada- tiene un efecto suave **astringente**, útil en diarreas, y asada al horno es **laxante**, por lo que resulta de interés en niños.

Es un buen alimento para los diabéticos y las personas de estómago delicado.

Su zumo natural, la sidra, tiene efectos importantes como diurética, antitóxica, depurativa y muy digestiva. Mejora la hipertensión, el reumatismo, los cólicos hepáticos y contribuye a eliminar arenillas en los riñones. Hay que evitar retenerla en la boca ya que es algo corrosiva para los dientes. Para hacerla más digestiva es conveniente escanciarla, ya que así se rompen sus fibrillas y se hace fluida.

Es un buen tónico nervioso y muscular, estimulante y descongestionante del hígado. Mejora la tos, los resfriados, favorece el parto, dilata la uretra y hay quien asegura que mejora el cáncer gástrico.

La manzana corrige las indigestiones, mejora la ***gota*** y el reumatismo, calma los ardores gástricos, reduce el ***colesterol***, alivia la ronquera y tiene acción antivírica. Se le han encontrado propiedades antitumorales, protectora cardiaca y para reducir el exceso de metales pesados dentro del organismo.

No es recomendable consumir las semillas por su contenido en cianuro.

1.66. MELÓN

Composición

Contiene sales minerales, azúcares, fibra, vitaminas y gran cantidad de agua. También enzimas como la **papaína**.

Vitaminas A y C, fósforo, calcio, hierro.

Propiedades

Es beneficioso en caso de ***acidez estomacal*** y sanguínea gracias a su contenido en sales minerales alcalinas. Es refrescante, **energético**, mejora las enfermedades renales por su efecto diurético, ayuda a neutralizar las toxinas de la carne y posee efectos depurativos y laxantes. Se emplea en la ***acetonemia*** infantil que acompaña a las enfermedades infecciosas, en la gota, el reumatismo y la insuficiencia hepática.

Aplicado directamente en las heridas las cicatriza y las limpia, siendo también útil para calmar las quemaduras superficiales y en forma de cataplasma en casos de traumatismos dolorosos.

No está recomendado en casos de diabetes, diarreas o trastornos digestivos crónicos.

1.67. MELOCOTÓN

Composición

Contiene minerales, oligoelementos y vitaminas. Especialmente vitamina C, hidratos de carbono, **potasio**, fósforo y **azufre**.

Propiedades

Para aprovechar sus cualidades nutritivas es mejor comerlo con la piel, ya que ahí es donde están sus vitaminas.

Se le atribuyen propiedades terapéuticas en las enfermedades del estómago, de los riñones y del hígado, e incluso hay quien lo recomienda en muchos tipos de cáncer.

Es un **sedante nervioso** bien tolerado, ligeramente diurético y laxante si se toma su jugo en ayunas.

<u>El aceite que se extrae de la semilla tiene propiedades curativas en los zumbidos de oídos.</u>

Mejora la digestión. Es **depurativo**, energético y ayuda a eliminar parásitos intestinales.

Regula la menstruación y es un buen antianémico.

La presentación "**melocotón en almíbar**" es muy energética, aunque en el proceso de preparación y enlatado se pierden la mayor parte de sus vitaminas.

1.68. MEMBRILLO

Composición

Tanino y **pectinas**.

Mucilagos, amigdalina, enzimas, aceite esencial, proteínas.

Propiedades

El dulce de membrillo es muy popular por su gran efecto energético y porque corta las diarreas.

Posee un efecto emoliente en las patologías digestivas, además de ser un **estimulante hepático** y un aperitivo. El fruto crudo se emplea localmente para quitar las arrugas del rostro y cociendo las hojas se obtiene una infusión que baja la ***fiebre***, quita la tos y anula los espasmos gástricos.

Es eficaz en la disentería, los ***vómitos*** y como tratamiento de fondo de las tuberculosis.

En uso externo sus semillas se emplean para tratar sabañones, hemorroides, quemaduras, grietas del pezón y para combatir las arrugas.

1.69. MIJO

Composición

Fósforo, magnesio, hierro, flúor, **sílice**, vitaminas del grupo B y A, **lecitina**, almidón.

Contiene un 3,8% de grasas, 9,4% de proteínas, 61,9% de carbohidratos, un 0,9% de celulosa y un 11% de humedad.

Propiedades

Estimula de manera decisiva el **crecimiento del cabello**, aplicación que se emplea ya desde hace cientos de años. Es muy energético.

Favorece el crecimiento de la piel, fortalece el esmalte dental, mejora las funciones cerebrales y cardiacas y es un energético de acción muy rápida.

Contiene un enzima que actúa sobre las materias grasas, una diastasa muy activa.

Es muy diurético y se emplea en las afecciones de las vías urinarias y contra la formación de cálculos renales.

Con sus hojas secas se puede elaborar un sabroso sucedáneo del té y el pigmento rojo de su rizoma nos ayudará a colorear mantequilla y licores.

1.70. MORAS

Composición

Fósforo, calcio, hierro, taninos, **pectinas**.

Vitaminas A y C y un 8% de carbohidratos.

Propiedades

Es **laxante**, nutritiva, refrescante y depurativa. Si se comen cuando aún no están maduras tiene un sabor agrio y propiedades astringentes.

Con su zumo diluido se prepara un líquido eficaz contra las lombrices y las diarreas.

Mejora las anemias, la ***artritis*** y el reumatismo en general.

Es muy empleado contra la ronquera, el constipado y los trastornos intestinales. Son bactericidas y eliminan los hongos, actuando igualmente contra la gripe, los ***resfriados*** y la tos.

1.71. NABO

Composición

Es muy rico en vitamina C, oligoelementos y **azufre.**

Propiedades

Estimulan el apetito y crudos mejoran la mayoría de las enfermedades gástricas, inclusive las ***úlceras***. Si lo masticamos lentamente en estado crudo nos ayudarán a mejorar las infecciones bucales.

Es eficaz contra resfriados y sabañones, para reducir la acidez gástrica y la descalcificación.

1.72. NARANJA

Composición

Vitamina C, sales minerales y carotenos.

También vitaminas P y B, calcio, sodio, potasio, magnesio, hierro, cobre, cinc, **manganeso** y bromo.

Propiedades

Escorbuto. Es ligeramente antiséptica, **antioxidante** y depurativa. Mejora el reumatismo, la ***gripe***, la gota, estando indicada en la obesidad y la diabetes. No todo el mundo, sin embargo, tolera bien el zumo de naranja el cual puede dar lugar a acidez gástrica y sarpullidos.

No es una fruta recomendada a los hepáticos.

Estimula el crecimiento infantil y las funciones pancreáticas. Es antihemorrágica y mejora el apetito.

1.73. NONI

Composición

Ácido benzoico, ácido linoleico, limoneno, ácido oleico, eugenol, **selenio**, vitamina C, ácido acético, asperulósido, ácido hexanoico, xeronina, proxeroninasa, proxeronina y escopoletina.

Propiedades

Es **analgésica**, antiinflamatoria y adaptógena. Estimula la producción de células inmunitarias de la serie T y el crecimiento de los macrófagos. Modera la tensión arterial alta, disminuye la hiperviscosidad sanguínea, regula la producción de **insulina** pancreática y disminuye los niveles altos de colesterol.

1.74. NUECES

Composición

Cinc, cobre.

Vitaminas B, A y **E**, además de potasio, magnesio, azufre, fósforo, manganeso, cinc, sodio, cobre, hierro y calcio.

También contienen pequeñas cantidades de un alcaloide llamado yuglanina, taninos gálicos, aceite esencial y un glucósido.

Contienen un 15% de proteínas, y un 41% de ácidos grasos **poliinsaturados**, entre ellos el ácido linoleico (omega-6) y el alfa-linoleico (omega-3)

Propiedades

Hay que comerlas bien masticadas y no continuamente ya que pueden irritar las encías.

Proporcionan una gran energía de reserva por su materia grasa y la fina tela que se encuentra dentro tiene interesantes acciones para proteger el corazón y mejorar su función. También se le atribuyen propiedades favorables en la memoria y el riego sanguíneo cerebral.

Mejora las secreciones linfáticas, elimina parásitos intestinales, baja el colesterol y ayuda a curar las erupciones cutáneas. Se emplean en trastornos gástricos e intestinales, para calmar el sistema nervioso y los espasmos. Mejora la coagulación sanguínea y los sabañones. Sus hojas en infusión mejoran la diabetes.

Las nueces son ligeramente **afrodisiacas**, combaten la fatiga, el ardor de estómago, los cólicos y mejoran la circulación y el corazón.

Por su gran parecido con el cerebro humano se las ha considerado desde siempre como un tónico y **estimulante cerebral**, aunque recientemente se le han descubierto interesantes propiedades para las afecciones cardiacas, especialmente el filamento interno que normalmente se desecha. Son afrodisiacas y previenen las lombrices.

1.75. PAN

Parece difícil en principio considerar que el pan tenga propiedades curativas, salvo aquellas derivadas de la procedencia de su harina y por supuesto de sus cualidades nutritivas. No obstante, en un manual sobre alimentación saludable es casi imposible dejarlo apartado, ya que reúne una serie de cualidades que le hacen ser un alimento de primera categoría.

Diferentes tipos de pan

El **pan blanco** se elabora con harina de trigo refinada, de la cual se ha eliminado el germen y el salvado. Es el menos adecuado para la alimentación por ser un alimento desequilibrado.

El **pan de molde** se elabora también con harina refinada y se le incorpora mantequilla y fécula de patatas.

El **pan integral** auténtico se elabora con harina integral y su germen, por lo que es un poco más duro que el blanco. Como alimento es muy completo. Existe en el mercado un pan denominado integral que no tiene nada que ver con el auténtico, ya que está elaborado con harina refinada y algo de salvado, refinado también.

Composición

El pan integral contiene un 13,6% de proteínas mientras que el blanco un 12,8%, cantidad no excesivamente significativa. Las grasas pasan del 2,5% a un 1,2%, pero esta pérdida es en grasas insaturadas. Después se elimina parcialmente la fibra y se pierden la mayoría de las vitaminas del grupo B, en especial el ácido fólico y el hierro.

Propiedades

Una rodaja de **pan frío** sacado del frigorífico alivia el escozor de ojos. Una rebanada caliente calma las heridas. Una rebanada fría detiene las hemorragias.

1.76. PAPAYA

Composición

Azúcar y **papaína**.

Pectinas, fermentos disolventes de albúminas, resinas, ácidos orgánicos, vitaminas A, B y C, aceite esencial con fosfolípidos, fósforo, calcio, magnesio, potasio.

Propiedades

Su gran contenido en el fermento papaína, hace que sea beneficiosa para mejorar la digestión de la carne, e incluso se puede añadir a los platos ya que ablanda los alimentos.

Terapéuticamente se le han comprobado, además, un buen efecto en las afecciones cutáneas y para eliminar **parásitos intestinales**.

Mejora las afecciones hepáticas y las enfermedades cardiacas, la colitis y el ***colon irritable***.

El jugo aplicado externamente blanquea las manchas rojizas del rostro.

1.77. PASTA ITALIANA

Composición

100 gramos de pasta simple proporcionan 350 calorías de rápida asimilación, 12% de proteínas, 1,5% de grasas, 73% de hidratos de carbono y 12% de agua.

Propiedades

Es esencialmente un alimento **energético**, que no produce engorde mientras no lo mezclemos con otros alimentos, especialmente los grasos, y cuya digestión y metabolización es muy rápida, por lo que constituyen un aporte calórico de primer orden.

Son muy aptas para estómagos delicados.

1.78. PATATAS

Composición

Proteínas 2%, grasas 0,1%, carbohidratos 20%, celulosa 0,4%, vitaminas A, B, C y PP.

Aportan 90 calorías por 100 gr así como algo de calcio y potasio.

Propiedades

El zumo de la patata cruda es un excelente remedio para curar las ***úlceras gastroduodenales***.

Está también recomendada en las enfermedades hepáticas, para curar la ***acidez*** de estómago, en la ***artritis***, la gota y para mejorar la función renal.

Se le han reconocido propiedades para mejorar las enfermedades circulatorias y las acumulaciones de líquidos en órganos y tejidos.

1.79. PEPINO

Composición

Vitaminas A, B y C, fósforo, calcio, **azufre** y sodio.

Tiene un 98% de agua, 1% de proteínas, 2% de carbohidratos y nada de grasa.

Propiedades

Se le reconocen propiedades importantes en tratamientos externos de la piel. Internamente induce al sueño, es refrescante, **diurético** suave y su contenido en azufre le hace adecuado para tratar internamente la mayoría de los problemas de piel, especialmente a causa de la grasa.

Disuelve los cálculos renales, elimina el ácido úrico y mejora las afecciones reumáticas.

Neutraliza la acidez de estómago, mejora las ***úlceras duodenales***, alcaliniza la orina y la sangre y es un laxante suave pero eficaz.

El pepino estimula de manera poderosa las glándulas suprarrenales y prolongan la juventud.

Externamente son populares las **mascarillas** de rodajas de pepino, ya que suavizan la piel y la hidratan profundamente. También se puede emplear el jugo fresco mezclado con agua de rosas. Mezclado su jugo con aceite de oliva, zumo de limón y de zanahoria, ejerce un efecto rejuvenecedor de la sangre muy intenso, aliviando también la tensión nerviosa y renovando las células atrofiadas.

Está contraindicado en casos de prostatitis.

Calma las insolaciones, el jugo baja la fiebre, refresca la piel quemada, reduce la hinchazón de los ojos y las semillas eliminan la tenia o solitaria.

1.80. PERA

Composición

Manganeso, azufre, calcio, cloro, cinc, hierro, fósforo, **yodo**, potasio y sodio. Vitaminas A, B1, B2, C y PP, **pectinas** y taninos. Aporta un 4% de celulosa, 88% de agua, 0,4% de grasas y 0,5% de proteínas.

Propiedades

Se le reconocen virtudes como antianémica, diurética y laxante. Es muy digestiva, especialmente cocidas o en mermeladas. Elimina el **ácido úrico**, es depurativa, astringente, levemente sedante y evita putrefacciones intestinales. También conviene en reumatismos, gota, anemia, tuberculosis, diabetes y muy especialmente en la ***hipertensión.***

Es una de las frutas mejor toleradas a nivel gástrico, por lo que conviene a las personas enfermas y anémicas.

1.81. PEREJIL

Composición

Es rico en vitaminas A y C, en rutina y **flavonoides**.

Aceite esencial con apiol, apina, miristicina, pineno, terpenos, bergapteno, ácido petroselínico.

Propiedades

Es **diurético** enérgico e incluso ligeramente abortivo si se emplea a dosis altas en estado crudo. No emplear nunca en **embarazadas**, aunque frito y mezclado con los alimentos no tiene, sin embargo, estos efectos perjudiciales.

Es digestivo, **carminativo** y estimulante uterino para las amenorreas o retrasos en el período. Tiene propiedades diuréticas, corrige la acidez de estómago, mejora las afecciones **hepáticas** y renales, baja la tensión arterial, elimina los parásitos intestinales y **estimula la lactancia.**

Localmente se emplea contra las picaduras de insectos, para aplacar el dolor de muelas, en las heridas y abscesos, así como en contusiones.

1.82. PIMIENTOS

Del tipo longum se obtiene el **pimentón**, la **guindilla** y el **chile.**

Composición

Vitaminas C (115 mg) A, P, hierro y potasio.

Capsaicina, **carotenos**, **flavonoides**, aceite esencial, azúcar.

Propiedades

Neutraliza la acidez gástrica, mejora las enfermedades reumáticas, la artritis y la tuberculosis ósea. Ayuda al buen funcionamiento hepático, estimula el apetito y tomando su caldo en ayunas vacía la vesícula biliar.

Externamente se emplea para aclarar las ***manchas de la piel***, los granos y en gárgaras con un poco de limón para faringitis.

Es vasodilatador y estimulante del peristaltismo.

Son tónicos, antisépticos y estimulan el sistema circulatorio y la transpiración.

Los pimientos son refrescantes, alivian el asma, las varices, disminuyen la sensibilidad al dolor, el cansancio, la sinusitis y los catarros.

1.83. PIÑA

Composición

Vitaminas A, E y B fermentos y enzimas como la **bromelina**.

Rica en vitamina C, calcio, hierro, fósforo.

Propiedades

Se emplea en regímenes de adelgazamiento y preferentemente en la ***celulitis***, siendo un reductor del apetito.

Es muy **digestiva**, refrescante y favorece el desarrollo óseo en los niños. Mejora la calidad del **esmalte dental**, purifica la sangre, alivia los catarros, calma la tos, la gota y la artrosis. Se recomienda en las enfermedades hepáticas, de páncreas y en las anemias.

Favorece la cicatrización de las úlceras internas y estimula la producción de insulina.

Externamente se emplea para blanquear la dentadura.

La piña en conserva pierde la mayor parte de su contenido en bromelina.

1.84. PIÑONES

Composición

Aceite esencial con felandreno, pineno y otros.

Propiedades

Es aperitivo, aporta numerosas calorías y nutrientes, aunque es **bastante indigesto** si se toma sin masticar adecuadamente. Se emplea en las anemias, en la astenia y en los deportistas de invierno.

Antiguamente se utilizaba con cierto éxito en la tuberculosis, las parálisis infantiles y para curar la impotencia.

1.85. PIPAS DE CALABAZA

Composición

Son muy ricas en grasas (un 50%), la mayoría compuestas por ácidos linoléicos y linolénicos. También contiene un fermento denominado citrilina considerado un portador de oxígeno, **hormonas vegetales**, vitamina A, E y F, una gran riqueza en **arginina** y otros aminoácidos esenciales.

También tiene grandes cantidades de fósforo, magnesio, hierro y cinc.

Propiedades

Constituyen un extraordinario remedio para eliminar los ***parásitos intestinales*** e incluso la tenia.

Baja la inflamación de la próstata, mejora los adenomas y corrige las ***enuresis*** nocturnas, no solamente las de los niños sino las de los adultos.

Mejoran la visión, refuerzan las defensas, facilitan la digestión y tienen un buen efecto rejuvenecedor general y en especial en los órganos reproductores.

Las pipas de calabaza sin tostar son un excelente remedio para la prostatitis.

1.86. PIPAS DE GIRASOL

Composición

Las semillas contienen básicamente aceite rico en ácidos grasos insaturados (linoleico y oleico) y saturados (un 4%), como el palmítico y aráquico. Contiene abundancia dc protcínas, hicrro, fósforo, calcio, potasio, magnesio y cinc, así como **vitaminas E, F, D** y algunas del grupo B. Contiene fibra y pectina.

Propiedades

Es un complemento alimenticio que tiene una acción favorable en el ***colesterol***, la esclerosis y la arteriosclerosis, así como para favorecer el crecimiento infantil. Su aceite se emplea abundantemente también en cosmética y en farmacia para hacer emplastes y ungüentos.

Se puede elaborar un jabón que se utilizará para dar masajes en las articulaciones afectadas por el reuma.

Se emplea en la esclerosis múltiple, las encías sangrantes, el asma y para mantener una piel sana. Podemos utilizarla en las fiebres intermitentes, la tosferina, la anemia, la artritis reumatoide y para mejorar la visión nocturna.

Las pipas de girasol comercializadas pueden ocasionar cólicos renales y dolores lumbares intensos

1.87. PLÁTANO

El plátano que habitualmente comemos está madurado en cámaras con ácido nítrico, lo que influye indudablemente en su sabor.

Composición

Proporciona 90 calorías por 100 gramos, 1,1 gr de proteínas, 22,2 gr de carbohidratos, así como 8 mg. de calcio y 26 mg. de fósforo. También hierro, **potasio**, sodio, vitaminas **A y C**, B1, B2 y PP. Es rico en fibra y **pectinas**.

Propiedades

El plátano maduro se reconoce por tener una cáscara muy amarilla, con numerosas pecas negras, sin trazas del color verde. De la savia de su tronco se extrae un líquido que posee cualidades para neutralizar el veneno de las culebras.

Es adecuado para mejorar la artritis, gota, pequeñas depresiones, estimular el crecimiento, favorecer los **trabajos intelectuales**, corregir el nerviosismo y ayudar al funcionamiento biliar. Comido al final de las comidas favorece la digestión y se considera un alimento muy adecuado para embarazadas. Neutraliza el exceso de ácido clorhídrico y, por tanto, ayuda a mejorar las úlceras gástricas y se cree que, además, protege a la mucosa gástrica de las agresiones alimentarias. Su contenido en **hierro** muy asimilable le hace ser un alimento imprescindible en las anemias.

La cáscara de plátano se puede aplicar por su parte interna en las quemaduras pues es antiséptica y cicatrizante.

No se puede tomar en presencia de **diabetes**, salvo de noche, ya que así se evitan las concentraciones altas de glucosa y permite una mejor acción de la insulina. Tampoco es aconsejable cuando hay estreñimiento crónico. Nunca se debe comer verde ya que puede ser muy tóxico.

1.88. POMELO

El pomelo pertenece a la misma familia de las naranjas y la lima, siendo en realidad un cruce entre la naranja y el limón que se cultiva en América y África del sur.

Composición

Básicamente contiene agua (un 90%), **apenas 40** calorías por 100 gr aunque es bastante rico en vitamina C (70 mg./100 gr) y P.

También contiene calcio, fósforo, hierro, vitamina A y potasio.

Propiedades

Su consumo se popularizó bastante hace algunos años como adelgazante, aunque su sabor amargo provocó su rápida caída. Para solucionarlo los agricultores han sacado una variedad de pulpa rosada algo más dulce que se debe tomar antes de las comidas para disminuir el apetito.

Se le reconocen propiedades **diuréticas**, antitóxicas y depurativas, además de ser un estimulante digestivo y favorecer las funciones hepáticas. Las flores del pomelo, difíciles de encontrar, bajan la fiebre.

Estimula las glándulas suprarrenales y es antihemorrágico. Limpia el sistema digestivo y urinario, ayuda a eliminar **grasas** corporales, mejora el sistema respiratorio, equilibra el sistema nervioso y alivia los resfriados.

Las pepitas y la piel bajan el colesterol, eliminan parásitos intestinales, mantienen la piel sana y localmente mejora el acné.

1.89. PUERROS

Composición

Vitamina C, 57 calorías, 1,8 de proteínas, 14,2 de carbohidratos, calcio, fósforo, hierro, vitaminas C y B. **Azufre.**

Propiedades

Son muy **diuréticos**. También son famosas sus propiedades para mejorar las afecciones de las vías respiratorias, especialmente los catarros invernales. Mejora la digestión, purifica la sangre y ayuda a eliminar las enfermedades de la piel. Aumenta la capacidad pulmonar.

Su caldo mejora las enfermedades febriles, las infecciones intestinales y mejora las enfermedades de las vías urinarias.

1.90. RÁBANOS

Composición

Son muy ricos en **hierro** y carotenos.

También vitamina C, B, sustancias antisépticas y tioglucósidos.

Propiedades

Estimula el apetito y los procesos digestivos. Favorecen el **bronceado** y mejoran las enfermedades de la boca.

Baja la fiebre, mejora las infecciones intestinales y evitan la formación de cálculos renales.

Su efecto depurativo le hace eficaz en las enfermedades de la piel y también mejora las anemias y la debilidad de los niños. Se le atribuyen propiedades para mejorar la tosferina y la tos pertinaz.

Se le han encontrado efectos positivos en el tratamiento de la ictericia y la insuficiencia biliar. Acelera los procesos metabólicos.

1.91. REMOLACHA

Composición

Es rica en **azúcar**, **hierro**, **vitamina B-12** y carotenos. Tiene un glucósido llamado betaína.

El pigmento rojo es un antociano que incluso tiñe la orina.

Propiedades

Es un alimento muy **energético**, aunque sus mejores propiedades la tienen cuando se ingiere cruda. Si la cocemos se hará con la cáscara y se pelará posteriormente.

Es adecuada, además, para tratar el colon irritable, las hepatopatías y para mejorar el bronceado.

Hay que tener precaución con su jugo ya que mancha mucho.

El jugo fresco parece ser que tiene buenos efectos en la regeneración del parénquima hepático. Mejora la captación celular de oxígeno y activa la respiración celular.

1.92. QUESO

Al igual que ocurre con la leche, al queso se le suele considerar un producto "natural" y muy saludable, aún cuando proceda de un mamífero, existiendo unas 400 variedades de quesos reconocidas, casi todas comercializadas.

Contenido de un queso estándar:

Son alimentos concentrados altamente nutritivos y energéticos, conservando así todas las buenas propiedades de la leche, además de una buena digestibilidad. Si se elaboran con leche entera tienen entre un 30 y un 70% de grasa (la mayoría saturada) y gran cantidad de **calcio**, **fósforo** y vitamina A. También conservan la proteína inicial, la **caseína**, la cual es muy completa en aminoácidos esenciales.

El queso manchego contiene cinc, vitaminas A, D y B12, , calcio, fósforo, ácido fólico, 25 gramos de proteínas en 100 gramos. Se elabora con leche de oveja mediante su filtrado, coagulación, desuerado de la cuajada, moldeado, salazón, fermentación y maduración durante 60 días.

Propiedades

Se recomienda como aporte de calcio en el raquitismo, en la desnutrición o anemias.

1.93. SALMÓN

No es frecuente encontrar cualidades terapéuticas en alimentos que no provengan de la tierra, y por ello el que ahora analizamos es ciertamente significativo. La importancia de los pescados "azules", tanto de agua dulce como salada, en la alimentación humana está ya fuera de toda duda, aunque todavía son desconocidas sus propiedades para curar ciertas enfermedades. El descubrimiento de los ácidos grasos esenciales en la salud fue el detonante que obligó a los investigadores a analizar seriamente su papel como elementos terapéuticos.

Composición

Contiene **yodo**, fósforo, calcio, vitaminas A, B y D, así como una cantidad significativa de **EPA** (ácido Eicosapentaenóico), un derivado del ácido alfa-linoleico, el cual es un precursor de las prostaglandinas de la serie 3. Contiene también **calcitonina**, un elemento que se emplea abundantemente en medicina para el tratamiento de la osteororosis.

El aceite de salmón es uno de los recursos más eficaces para controlar el exceso de colesterol

Propiedades

Regula la agregabilidad plaquetaria y, por tanto, disminuye el riesgo de trombosis, arteriosclerosis e infartos. Es beneficioso en situaciones de estrés, alteraciones hepáticas, diabetes, **exceso de colesterol** y envejecimiento prematuro.

1.94. SANDÍA

Composición

Contiene esencialmente **agua**, hasta un 93% de su peso total, lo que la hace poco nutritiva. Es rica en **azúcares** y minerales y **carotenos**.

Propiedades

Se le reconocen efectos como **refrescante** y diurética. Por su bajo contenido calórico es muy adecuada para dietas de adelgazamiento e incluso puede ser comida por diabéticos o enfermos del corazón. Calma la sed de los enfermos con fiebre, neutraliza los gases intestinales, las bronquitis crónicas y mejora las anemias. Se le reconocen propiedades depurativas tomadas a media mañana y favorece el bronceado.

Se le atribuyen propiedades beneficiosas en la salud en general por su efecto catalizador y de manera particular en las anemias.

Con sus pepitas se trata de manera eficaz las prostatitis.

1.95. SÉSAMO

Composición

Esencialmente su composición es grasa, esencialmente a base de ácidos **linoleico**, oleico, palmítico y esteárico. También contiene fitosterina, sesamina, **lecitina** y fosfatos. Casi el 85% de estas grasas que contiene lo son como ácidos grasos esenciales, insaturadas. Hay vitaminas del grupo B, E y C, así como magnesio, calcio y fósforo.

Propiedades

Se usa abundantemente para el tratamiento corrector del ***estreñimiento*** y en este sentido hay que decir que es mucho más adecuado que tomar salvado. No provoca una aceleración del peristaltismo intestinal, por tanto, no hay pérdida de nutrientes, y contribuye a evitar que las heces se endurezcan y puedan deslizarse eficazmente por el colon.

También posee propiedades para favorecer la **memoria** y las facultades intelectuales a causa de su riqueza en **fosfolípidos**, es tónico y energético y controla las fiebres altas.

Reduce los niveles altos de colesterol y mejora la arteriosclerosis.

1.96. SOJA

De ella se extrae un aceite muy apreciado en América y algo menos en Europa y si la ponemos a germinar nos dará unos brotes ricos al paladar y de fácil preparación.

Composición

Contiene un 35% de su peso en **proteínas** de un alto valor biológico, ácido linoleico, apenas un 4,5% de grasas de las cuales la mayoría son **insaturadas**, 25% de hidratos de carbono, vitaminas A, B y E, así como minerales. De su aceite se extrae la **lecitina**.

Las **semillas** contienen isoflavonas, especialmente Daidzeína (53%) y Genisteína (18%).

Las isoflavonas de la soja se usan ampliamente como eficaz remedio en la menopausia

Propiedades

La mejor manera de consumirla es **germinada**, ya que así se duplican sus nutrientes, aunque también aumentan las purinas. Cocida aporta elementos nutritivos de primera calidad y puede ser consumida por la mayoría de las personas, incluidas las que padezcan cifras altas de colesterol.

El **Tofu**, o queso de soja, es el resultado de cuajar la leche de soja, el cual proporciona una gran digestibilidad, muy pocas calorías y alto porcentaje de proteínas asimilables.

Su producto base, la **leche de soja**, está muy indicado en personas alérgicas a la leche, la lactosa o que necesitan dietas bajas en grasas.

El **Miso**, líquido conocido como "**Salsa de soja**" que se prepara mediante la fermentación de soja molida y granos de trigo, genera una gran cantidad de aminoácidos esenciales, además de lecitina y cibicolina. Se le han encontrado propiedades contra las radiaciones y para alcalinizar la sangre.

Su gran cantidad de microorganismos, lactobacilos esencialmente, hace que favorezca la digestión de los alimentos, especialmente las legumbres.

Otro producto muy popular, la **carne de soja**, obtenido mediante presión extrema de la masa de soja, es rico en proteínas de alta calidad, no tiene olor ni sabor, aunque se le añaden posteriormente especias para aromatizarle. Tiene bajo precio y es muy digestiva.

Las **semillas** se emplean, por su contenido **estrogénico**, en los síntomas post-menopáusicos y la osteoporosis, existiendo estudios que demuestran un efecto benéficos en los afecciones tumorales hormonodependientes.

La leche de soja es un sustituto de la leche de vaca muy utilizada para bajar las cifras altas de colesterol

1.97. TAMARINDO

Composición

Vitamina C, ácidos tartárico, cítrico, málico y acético. Bitartrato de potasio.

Propiedades

Se emplea como medicinal en casos de estreñimiento, ***infecciones intestinales*** y para bajar la fiebre. Sus hojas en infusión se emplean en las afecciones bucales y en inflamaciones superficiales de la piel.

Es refrescante.

1.98. TOMATES

Composición

Vitaminas A, B y C. Potasio, calcio, fósforo.

Propiedades

Es diurético suave, mejora las ***anemias*** y antiguamente se empleaba para tratar la difteria. Posee efectos depurativos, laxantes y mejora las enfermedades hepáticas, gástricas y pancreáticas. Tonifica el sistema nervioso, **favorece el sueño** y parece ser que ayuda a controlar las úlceras duodenales.

Externamente tiene efectos para el tratamiento de las hemorroides, las úlceras y las llagas.

Mezclado con pan integral es muy sabroso y parece ser que mejora las **úlceras** internas.

1.99. TRIGO

Composición

El trigo integral, con su **germen** incluido, es uno de los alimentos más completos que existen, ya que posee todas las vitaminas del grupo B, minerales, oligoelementos y aminoácidos, además de ácidos grasos esenciales.

El **salvado** está compuesto todavía por hidratos de carbono (70%), **proteínas** (15%), grasas (3%) y vitaminas del grupo B, además de colina, inositol, vitamina E, hierro y cinc. También posee aminoácidos como la **lisina** y una cantidad apreciable de grasas insaturadas. Estas características están solamente en el salvado integral y no en el salvado comúnmente comercializado.

El **germen** constituye por sí mismo un alimento completo ya que contiene entre un 30 y un 40% de **proteínas** de alto valor biológico, 40% de carbohidratos, 10% de grasas a base de ácido linolénico y ácido linoléico, gran cantidad de **vitamina E**.

El aceite de germen de trigo es un complemento dietético extraordinario que se vende en perlas o en pequeñas botellas.

Propiedades

Es laxante, energético y bien tolerado por estómagos sensibles.

El **salvado** es mejor consumirlo unido a los alimentos integrales, pues esta es la mejor manera de aumentar el consumo de fibra.

La toma continuada de salvado refinado en copos produce un aumento del tránsito intestinal que perjudica la absorción de los nutrientes.

El **germen de trigo**, tiene propiedades curativas en cualquier estado carencial de proteínas, bien sea por déficit nutricional o por un aumento de las demandas como ocurre en el embarazo o deportistas. También es adecuado como complemento después de operaciones o enfermedades debilitantes, así como para mejorar la cicatrización de las úlceras.

Mejora la **fertilidad** tanto en hombres como en mujeres.

1.100. UVAS

Cultivo:

Hay que elegir un sitio protegido, que le dé el sol y mejor orientado al sur. Hay que procurar que el suelo drene bien el agua y ligeramente alcalino. Se siembra al terminar el verano empleando el sarmiento, enterrando las raíces a 13 cm de profundidad y afirmando el suelo.

La poda anual solamente se hará cuando la viña está vegetativa, evitando que sangre y pierda savia.

Si no da muchas hojas se puede abonar en verano y regar hasta que la uva engorde. Se pueden cortar las uvas que no dan semillas y las que crezcan de forma extraña. Cuando las podemos hay que procurar no tocarlas con los dedos para que no pierdan el polvillo que las recubre.

Admiten el almacenaje durante dos semanas en lugar fresco y oscuro.

Composición:

Ácidos tartárico y málico, glucosa, levulosa, taninos, fósforo, yodo y arsénico.

No contiene grasas. También pectinas, glucósidos flavónicos, pigmento, vitaminas A, B y C.

Propiedades:

Tiene acciones beneficiosas como diurética, depurativa, mejorando las funciones del hígado y los riñones.

Son laxantes, aunque para ello hay que comerlas con la piel y sus pepitas son ricas en un aceite esencial con propiedades para regular el colesterol, la arteriosclerosis y las enfermedades coronarias. También es útil en la albuminuria, la insuficiencia hepática, la gota y las enfermedades de piel.

La cura de uvas, consistente en comer solamente uvas durante todo el día, es un buen sistema para bajar de peso y depurarse, especialmente recomendado en las enfermedades febriles debilitantes. Esta cura tiene efectos rejuvenecedores en la piel.

Las **uvas pasas** poseen aumentadas todas las propiedades de las uvas ya que, además, se comen con la piel y las pepitas, por lo que son mucho más aconsejables. No obstante, dado que son un alimento muy concentrado no hay que abusar de ellas. Su efecto laxante es más acusado.

La mejor manera de consumirla es entera, con cáscara y pepitas, aunque si se prefiere podemos emplear el zumo -**mosto**- el cual deberemos hacerlo en casa ya que el comercializado puede contener algo de alcohol.

Para preparaciones caseras hay que emplear uvas de Corinto o California que no tienen pepitas.

Aceite de pepitas de uva

Mención especial es el aceite que se extrae de las pepitas, esas diminutas semillas que casi todo el mundo tira y hasta le molesta encontrarlas. Pero mediante un sistema de extracción en frío se consigue elaborar un aceite para uso directo, no es adecuado para cocinar, que aporta una gran variedad de sustancias esenciales. Contiene al menos un 57% de ácidos grasos esenciales, la mayor proporción de todos los aceites vegetales, al mismo tiempo que aporta cantidades significativas de vitamina E, provitamina A, provitamina D y lecitina.

Tomado en ayunas reduce las tasas de colesterol, mejora la tersura de la piel, ayuda a controlar la obesidad y mejora las funciones biliares.

Uva negra

Su pigmento procede de las antocianidinas y a los cuales se les atribuyen propiedades para estimular la circulación venosa y mejorar la oxigenación cerebral. También contiene flavonoides, vitamina C y Resveratrol que posee propiedades contra el cáncer.

La uva negra es reconstituyente, laxante, diurética, mejora el hígado y las hemorroides, alcaliniza la sangre y estimula las defensas orgánicas.

1.101. VAINILLA

Cultivo:

Planta originaria de Méjico y India Oriental, dotada de un exquisito aroma y sabor. En sí es una orquídea que pertenece a la familia de las Aretusáceas y que tiene gruesas raíces aéreas que se pegan a los árboles. Es, por tanto, una especie parásita que se va ensanchando y proporciona unas flores ovales de corto pecíolo, las cuales dan vida a los frutos en forma de baya alargada.

Composición:

Contiene sustancias grasas, ceras, azúcar, resina y vainillina.

Propiedades:

No se conocen.

Receta básica:

Se emplea para dar sabor y profundo aroma a postres, flanes, batidos y bebidas.

1.102. VERDOLAGA

Cultivo:

La podemos encontrar de forma silvestre por los prados en lugares soleados, aunque también se desarrolla sin grandes cuidados en jardines y macetas.

Se trata de una planta anual, de hasta 30 cm de altura, aunque lo normal es encontrarla también rastrera.

Sus tallos están ramificados desde la base, tienen color rojizo y da hojas carnosas, de color verde oscuro y con un grato sabor suave y dulce.

Composición:

Básicamente son muy ricas en vitamina C. También ácidos grasos Omega-3 y vitamina E.

Propiedades:

Siempre que exista un déficit de vitamina C, como puede ser en las enfermedades invernales, las hemorragias, el escorbuto, o las alteraciones del colágeno.

La mejor manera de comerla es cruda, en forma de ensalada, aliñada simplemente con aceite, vinagre y sal. Tiene un sabor exquisito y solamente el hecho de que crezca abundantemente por los campos hace que no sea apreciada por el consumidor.

Si se prefiere, se pueden conservar en vino, vinagre y sal, para poder tomarlas luego en los meses de invierno.

1.103. YOGUR

Uno de los primeros alimentos fermentados que se introdujeron masivamente en la alimentación mundial y que sigue gozando de la misma popularidad y aceptación. Mediante la acción de los bacilos Streptococcus termophilus y lactobacillus bulgaris se desdoblan los carbohidratos de la leche y se produce principalmente ácido láctico, lo que evita que nuestro aparato digestivo tenga que realizar esta acción.

Hasta la edad de los cuatro años esta misión puede ser realizada perfectamente por el estómago pero a partir de ahí y de manera especial después de los diez años, la capacidad para digerir la leche disminuye drásticamente, lo que explica que la mayoría de los adultos no puedan tolerarla sin mezclar.

Propiedades:

Dejando bien claro que la leche es un alimento para los niños, especialmente para los bebés, y que el adulto no tiene necesidad de consumirla, la incorporación de alimentos fermentados como es el yogur o el kéfir, hace que podamos aprovechar sus cualidades nutritivas y no tengamos que soportar sus inconvenientes.

Tomar yogur después de las comidas mejora la digestión de los cereales, de los productos que puedan contener calcio o leche y disminuye o al menos impide el desarrollo de bacterias patógenas como los clostridios o Escherischia coli. También impide el desarrollo del cáncer de colon y protege de infecciones urinarias.

1.104. ZANAHORIA

Daucus carota

Cultivo

Esta umbelífera necesita un terreno profundo, el cual debe escarbarse pero no abonarse, añadiendo solamente algo de cal.

Se siembra en una estación templada, en surcos de 1 cm de profundidad y separadas 25 cm Cuando asoman los retoños hay que regar y un poco más tarde se hace el clareo, preferentemente de noche para evitar la llegada de insectos. Se riega después, se entierran las plantas arrancadas y se eliminan las malas hierbas.

La recolección es durante todo el año arrancando las más jóvenes, evitando que permanezcan demasiado tiempo en la tierra, al mismo tiempo que se quitan las hojas. Se almacenan en recipientes de plástico.

Composición

Vitaminas A, B y C.

Contiene un 87% de agua, 029% de materia nitrogenada, 6% de azúcares, algo de fibra y cenizas, así como fósforo, potasio y calcio. También hormonas vegetales como la sitosterina y estigmasterina, lecitina, glutamina, ácido málico y malato potásico. Se encuentran en cantidades significativas asparragina, inosina, manitol, diastasas y carotenos.

Propiedades

Es un remedio extraordinariamente eficaz en las diarreas, incluso utilizando su zumo al que podemos añadir unas gotas de limón.

Neutraliza la acidez estomacal, facilita la cicatrización de las úlceras gástricas, ayuda a eliminar el ácido úrico y mejora las hepatopatías.

Es tónica, estimula el crecimiento del cabello, disminuye la excesiva acidez estomacal, favorece el bronceado y alivia las bronquitis.

Externamente se emplea para calmar el dolor en las quemaduras, debiendo emplearse cruda, rallada y en cantidad abundante.

Puede emplearse localmente en las durezas de la piel como los callos, los ojos de gallo, las verrugas, en las espinillas compactas, el acné vulgar y la ictiosis.

Otros usos

El jugo ayuda a combatir el estrés y la fatiga, mientras que la zanahoria seca es eficaz en las infecciones, el dolor de cabeza y para los dolores articulares. Tomada diariamente regula el ciclo menstrual, los problemas cutáneos y a limpiar el cuerpo de impurezas.

Es conveniente emplear zanahorias sin pelar, ya que en la cáscara se encuentran la mayor cantidad de sus vitaminas, pero es necesario rallarlas un poco y lavarlas para quitar la tierra que suelen tener. Crudas son mucho más dulces que cocidas y se pueden tomar sin más mezclas. También es habitual comerlas en ensalada mezcladas con lechuga, apio, perejil y remolacha, solamente sazonadas con aceite, sal y vinagre.

2. RESUMEN

Es importante que el alumno se dé cuenta de que cualquier alimento de origen vegetal tiene propiedades terapéuticas que merecen la pena tener en cuenta.

No solamente son las calorías lo más esencial a la hora de elegir un alimento, sino el conjunto de sus nutrientes.

En ocasiones será necesario comer aquellos alimentos más completos, pero igualmente deberemos seleccionar aquellos que tengan, precisamente, aquel elemento que necesitamos en ese momento.

Hay dos partes del vegetal que suelen ser más ricas en nutrientes que las demás: las raíces y las hojas externas.

No todos los alimentos de la tierra se pueden comer crudos, pues con frecuencia necesitan la acción del calor para poderse digerir.

No se crea que las frutas exóticas son mejores que aquellas que crecen en su tierra, pues todos los países disponen de preciadas y exquisitas frutas.

Las verduras más nutritivas y saludables suelen ser, paradójicamente, las más baratas, e incluso las pueden recolectar de forma silvestre.

EJERCICIOS DE AUTOEVALUACIÓN

1. ¿Las aceitunas contienen ácidos grasos esenciales? SI NO
2. ¿El arroz blanco posee cascarilla? SI NO
3. ¿Con qué parte de la achicoria se elabora un sucedáneo del café?
4. ¿Es más saludable el ajo crudo que el frito? SI NO
5. ¿Qué parte de la alcachofa es más sabrosa?
6. ¿Cuál es el componente que da el sabor amargo a las almendras?
7. ¿Cuál es el efecto terapéutico más importante del apio?
8. ¿Son muy digestivas las berenjenas?
9. Propiedad terapéutica de los frutos del arándano
10. ¿Los cacahuetes son un alimento muy calórico? SI NO
11. ¿Cuál es la mejor forma de comer las castañas?
12. ¿Tiene propiedades antibióticas la cebolla? SI NO
13. ¿El coco contiene grasas saturadas? SI NO
14. ¿La col se puede emplear para el tratamiento de la úlcera gastroduodenal? SI NO
15. ¿El diente de león se puede comer crudo como una ensalada? SI NO
16. ¿Las embarazadas pueden comer guisantes? SI NO

17. ¿Cómo se llama el jugo de la manzana?
18. ¿El pan integral está elaborado con sal marina sin refinar? SI NO
19. ¿Qué propiedad medicinal importante tienen las pipas de calabaza?
20. ¿Las uvas se deben comer con piel incluida? SI NO

RESPUESTAS A LOS EJERCICIOS DE AUTOEVALUACIÓN

1. SÍ
2. NO, la cascarilla ha sido eliminada y con ella parte de sus nutrientes.
3. Con la raíz tostada
4. SÍ, el ajo crudo es más saludable, pero algo indigesto
5. La flor, pero se pueden comer también las hojas y el tallo
6. El ácido cianhídrico en las amargas
7. Es un potente diurético
8. NO
9. Ayudan a mejorar la visión nocturna
10. SÍ, son esencialmente un alimento muy calórico

11. Cocidas y tostadas son muy digestivas
12. SÍ, es uno de los pocos alimentos vegetales ricos en grasas saturadas
13. SÍ
14. SÍ, especialmente su zumo
15. Aunque algo amargo, es una estupenda verdura para ensaladas
16. SÍ, incluso están recomendados en las lactantes
17. La sidra
18. SÍ, el auténtico pan integral debe estar elaborado con sal y levadura integral
19. Mejoran las enfermedades prostáticas
20. SÍ, e incluso se deberían comer bien masticadas las pepitas

EXAMEN

1. Explique la frase de Hipócrates *"Que los alimentos sean tu única medicina"*

2. ¿Qué alimentos recomendaría a un hepático?

3. Alimentos ricos en proteínas

4. Una comida saludable para un niño

5. Alimentos que puedan sustituir a los laxantes

6. ¿Qué recomendarías para una buena visión?

7. Algún alimento que mejore las úlceras gástricas

8. Alimentos con efecto antibiótico

9. ¿Qué alimentos contienen el equivalente a las hormonas femeninas?

10. ¿Qué alimentos tienen propiedades sedantes?

TEMA 16

DIETAS Y PROCESAMIENTO

Objetivos de esta lección

La dietética trata de la alimentación conveniente en los estados de salud y enfermedad.

En esta lección el alumno podrá poner en práctica, en su propio hogar, algunas de las recomendaciones de las lecciones anteriores.

Mezclando y utilizando adecuadamente la abundancia de alimentos que existen, podrá potenciar la salud y las enfermedades mediante exquisitos y aromáticos platos.

1. EL CONCEPTO DE DIETA

Cualquier persona necesita cubrir dos necesidades básicas con la alimentación: asegurarse de que su organismo reciba los alimentos calóricos necesarios y, además, proporcionar los nutrientes adecuados que le restauren con la mayor brevedad posible los tejidos desgastados.

Así serían, esquemáticamente, las ideas sobre la alimentación correcta, pero tal concepto deja de lado cuestiones tan importantes como son la introducción en nuestro organismo de sustancias nocivas o degenerativas, y la posibilidad de lograr energía intensa en un corto espacio de tiempo.

También es esencial que mediante los alimentos podamos mejorar una deficiencia corporal congénita o una enfermedad adquirida, por lo que es imprescindible adecuar nuestra alimentación de manera muy personalizada.

La alimentación correcta hay que establecerla en función de: edad, sexo, trabajo, ambiente, momento y psiquismo.

1.1. METABOLISMO

Es el conjunto de transformaciones materiales que se efectúan constantemente en las células del organismo vivo y que se manifiestan en dos fases diferentes: una de carácter constructor, anabólico, y otra de carácter destructor, catabólico.

Metabolismo basal

Supone una manera ampliamente utilizada de medir las necesidades energéticas de una persona es averiguar su **metabolismo basal**, esto es, saber qué consumo tiene su organismo en estado de reposo, despierto, a una temperatura ambiental media y con calma emocional.

De esta manera se sabrán las calorías que necesita para mantener con vida su organismo, aunque esta prueba metabólica no nos servirá para el futuro y solamente nos da la pauta para ese día y ese momento.

El metabolismo basal es la mínima cantidad de energía necesaria para mantener las actividades corporales, esto es, respirar, mantener los latidos del corazón, la circulación sanguínea, las funciones del sistema nervioso y los órganos internos. La prueba trata de demostrar la correlación entre la producción de calor y el consumo de oxígeno mediante la medición de la cantidad de oxígeno consumido en un periodo de tiempo determinado.

Este metabolismo es mayor en varones que en mujeres, más elevada en personas jóvenes, y disminuye a medida que avanza la edad, quedando influido por la constitución corporal y el estado nutricional, siendo algo menor durante el sueño.

El metabolismo se altera especialmente en las anomalías de la glándula tiroides.

Las circunstancias que afectan nuestras necesidades energéticas son:

1. **La edad**

El metabolismo disminuye con la edad para que el deterioro físico sea cada vez más lento.

2. **El sexo**

Las mujeres sufren grandes oscilaciones a lo largo de su vida, mucho más que los hombres.

3. **La climatología**

El clima frío suele aumentar grandemente la necesidad de calorías incluso en estado de reposo y bien abrigados, mucho más si se practica actividad física con poca ropa.

4. **Los músculos**

El aumento o disminución de la musculatura a causa del entrenamiento también lo modifica sensiblemente.

5. **La alimentación**

Los alimentos ricos en yodo influyen grandemente.

6. **Los nutrientes**

La carencia de calcio o magnesio lo frena, mientras que la vitamina B-1 lo activa.

7. **El descanso**

El sueño reparador lo baja mientras que los viajes largos lo activan.

8. Otros factores son la altitud sobre el nivel del mar, las situaciones de estrés, o la competición deportiva o laboral. Una persona que va ganando un torneo tiene un desgaste calórico inferior al que va perdiendo, por ejemplo.

2. LIMPIEZA, CONSERVACIÓN Y COCINADO

2.1. LIMPIEZA

La mayoría de los alimentos vegetales se tienen que lavar antes de su consumo, incluso aquellos que tienen cáscara. De no hacerlo así podemos conservar en nuestras manos durante bastante tiempo microorganismos perjudiciales para la salud. Si el alimento lo vamos a comer entero no es solamente la tierra que pueda estar adherida lo que debe preocuparnos, sino toda la suciedad que puede existir en el proceso de manufacturación.

Un alimento puede estar contaminado:

- Por su contacto con el aire viciado, pues no siempre las plantaciones están en lugares alejados de las ciudades.

- Porque encima de ellos se hayan posado insectos, pájaros o parásitos, los cuales pueden haber dejado ahí sus excrementos.

- Porque han sido elegidos por otros animales para refugiarse, restregarse o comerlos.
- Por los abonos o pesticidas empleados.
- Por al agua de riego.
- Por la presencia de materias fecales o residuos tóxicos.

La contaminación puede continuar por:

- La incorrecta recolección a mano o con maquinaria especial.
- El proceso de manufacturado en las cadenas de envasado.
- El blanqueado, refinado, pulido y quizá barnizado para darle un buen aspecto. Esta manipulación, aunque aparentemente libre de gérmenes, puede aumentar aún más la toxicidad de las sustancias perjudiciales que vengan del proceso anterior.

El largo camino hasta la boca

Si son alimentos perecederos, pueden seguir dos caminos: o se envían directamente a los mercados o se conservan en cámaras especiales; tanto uno como otro puede incidir negativamente en la salubridad. Si son enviados directamente a las industrias tendrán que ser manipulados por máquinas o personas, envasados, metidos en camiones y finalmente depositados en los mercados. Allí acudirán cientos de personas, con sus problemas de salud personales (¿quién está libre de tener alguna enfermedad?), y cargarán los alimentos en sus vehículos particulares o portados en bolsas que seguramente atravesarán calles fuertemente polucionadas. Cuando por fin llegan a su domicilio particular, y si el alimento ha conseguido escapar hasta entonces de las garras de la contaminación, aún le queda mucho camino que recorrer para llegar inmaculado al estómago del ciudadano.

Metido en bolsas de plástico será depositado finalmente en la cocina, con suerte, y cocinado inmediatamente, aunque lo más probable es que se guarde en frigorífico a la espera de ser consumido algún día. La descongelación, el cocinado, y la conservación posterior serán las últimas pruebas a las que se verá sometido.

Pero si, como decimos, el alimento no llega tan rápido al consumidor, hay que conservarlo y para ello entran en juego los aditivos, los conservantes, los estabilizadores y los antioxidantes, entre otros.

¿Existe todavía alguna duda de que los alimentos hay que lavarlos concienzudamente antes de comerlos?

Si sumergimos los productos vegetales en agua durante cortos períodos la pérdida de nutrientes será menor que si los sumergimos largo tiempo. Por tanto, es mejor lavarlos cinco veces seguidas durante un minuto cada vez que meterlos en agua durante cinco minutos continuados.

Es mejor lavar los alimentos enteros, en lugar de cuando se cortan en trozos o rodajas, ya que en este caso la pérdida será mucho mayor.

Si cogemos los productos directamente de la huerta bastará el simple lavado superficial para quitarles la tierra que pueda haberse quedado pegada. Hay que procurar no quitar la cáscara externa de los vegetales y comerlos íntegramente, ya que allí es donde están concentradas la mayor parte de las vitaminas. Si se hace necesario pelarlos quitaremos solamente la parte externa imprescindible.

Los vegetales de hoja verde conservan las mejores propiedades precisamente en las hojas externas, las más verdes y grandes, ya que las del interior son poco nutritivas al carecer de clorofila y no haber recibido apenas la luz solar. Desgraciadamente, la mayoría de la gente desprecia las hojas externas y las tira. Solamente se deben desechar las partes golpeadas, de color diferente al resto, duras, marchitas o que hayan sido comidas por los insectos o pájaros.

2.2. CONSERVACIÓN

Si desea almacenarlas algún tiempo no las corte, ya que enteras se conservan mucho mejor. Las frutas deberán dejarlas a la temperatura ambiente, ya que la mayoría de ellas se adquieren todavía un poco verdes y así madurarán mejor.

Como ejemplo, las frutas que aguantan más tiempo sin estropearse son: las manzanas, melones y los cítricos, los cuales pueden durar hasta 7 días a temperatura fresca. Los albaricoques, plátanos, uvas, melocotones y ciruelas, se conservan durante 5 días.

Finalmente, apenas duran uno o dos días las fresas, las cerezas y los higos frescos.

Las hortalizas que mejor aguantan el almacenaje son las que están duras y sanas, y las que ofrezcan dudas deben ponerse en el frigorífico en bolsas de plástico. Las que más aguantan son las patatas y las cebollas, las cuales pueden durar varios meses en un lugar ventilado y oscuro.

Después están la remolacha, las zanahorias, los rábanos y las coles, con una duración de dos semanas. Le siguen las judías verdes, coliflor, los pepinos, el apio, los pimientos verdes y los tomates maduros, los cuales aguantan apenas 5 días. Para final tenemos a los espárragos, el brécol, las lechugas, las espinacas, los champiñones y las coles de Bruselas, con una duración inferior a los dos días.

Otros alimentos

Aceitunas:

Hasta 9 meses bien cerradas y sin aditivos.

Aceite:

Una vez destapado, el de oliva dura 12 meses. Los de semillas menos.

Azúcar:

El azúcar blanco se conserva sin problemas un año, pero el moreno se endurece si no está perfectamente tapado, aunque puede consumirse igualmente.

Bacón:

10 días en frigorífico y bien cerrado.

Café:

El molido puede aguantar cerrado hasta un año, pero abierto solamente una semana. El instantáneo, hasta un mes una vez abierto.

Cubitos:

Casi un año, pero siempre que no exista humedad a su alrededor.

Embutidos:

Apenas dos días si el envase está abierto y en nevera.

Frutos secos:

Los que se compran a granel unos 6 meses, aunque depende de la cantidad de grasas que tengan.

Galletas:

Una vez abierto el envase 10 días. Un poco más si se guardan en una lata con terrones de azúcar.

Harina:

Hay que mantenerla en recipientes semiabiertos. Dura hasta un año.

Huevos:

Hasta 1 mes en nevera.

Leche fresca:

Bien cerrada, dos días en frigorífico.

Legumbres:

Pueden durar años, aunque se van endureciendo poco a poco. Su tiempo óptimo son 12 meses.

Mantequilla:

En su paquete original y frigorífico, 8 semanas.

Mayonesa casera:

Consumo inmediato.

Miel:

Salvo que coja humedad, dura años.

Pastas:

Tienen una larga duración, pero a partir de los 9 meses comienzan a endurecerse.

Pasteles:

Máximo 3 días en frigorífico.

Queso:

Los blandos apenas dos días en sitio fresco y algo más en nevera bien envueltos. Los quesos duros bien envueltos en papel de aluminio y en frigorífico hasta 3 semanas.

Alimentos que no se recomienda congelar:

Las manzanas enteras.

Los plátanos, aunque no pierden propiedades por ello.

Los quesos cremosos.

Las natillas y flanes.

La mayonesa.

El melón en todas sus presentaciones.

El merengue.

La leche.

Las patatas.

Los tomates.

Recomendaciones:

Las ***peras*** *hay que guardarlas siempre en nevera.*

Los ***albaricoques*** *se consumen maduros y de consistencia dura.*

Las ***cerezas*** *se guardan en nevera y se lavan solamente en el momento de consumirlas.*

Las ***nectarinas*** *no hay que consumirlas cuando estén duras.*

El ***pomelo*** *está sabroso bien frío y con un poco de azúcar.*

Las ***fresas*** *se lavan antes de consumirlas y es en ese momento en el cual se puede añadir azúcar.*

El ***Kiwi*** *se puede guardar varias semanas en nevera.*

La ***piña*** *en su punto se nota porque se pueden arrancar fácilmente las hojas.*

Los ***plátanos*** *no se deben meter nunca en nevera, aunque se pueden comer si la carne está caramelizada.*

2.3. EL COCINADO

Esto es lo que no debe hacer:

- Raspar, cortar, trocear o lavar los alimentos excesivamente.
- Poner demasiada agua para cocinar.
- Calentar la comida varias veces.
- Tirar el agua de la cocción, salvo excepciones
- Cocinar con demasiada temperatura.
- Poner lo que sobre en el frigorífico.

Diferentes modos de cocinar

Los **vegetales** hay que cocerlos casi siempre con poco agua, pero la suficiente para evitar que se quemen o que se peguen a la cazuela, al mismo tiempo que se debe disponer de una tapadera que impida expulsar los aromas y el vapor.

Las **hortalizas** se ponen con el agua hirviendo para reducir la pérdida de las vitaminas, aunque esto no puede evitar que se pierdan la mayoría de las vitaminas C y B.

Si disponemos de **olla a presión** es mejor cocerlas así, ya que la pérdida es menor, al mismo tiempo que conservamos el sabor y no se deteriora el aspecto.

Para cocerlas **sin agua**, en su propio jugo, o bien se ponen en ollas especiales que no permiten la salida del vapor, o se hace a fuego muy lento.

El método de **cocer al vapor** es quizá uno de los mejores, ya que el agua no está nunca en contacto con los alimentos y apenas hay pérdidas de nutrientes. Para ello se ponen las verduras en un cestillo perforado que no toque el agua.

Otros métodos de preparar los alimentos vegetales incluyen el aceite, el cual puede empelarse en gran cantidad, como cuando freímos patatas, o con muy poca cantidad de aceite para rehogarlas simplemente.

Otro sistema mixto consiste en **rehogar** las verduras en muy poco aceite a altas temperaturas, reducir la temperatura y añadir agua para que terminen cociéndose.

En la actualidad se está imponiendo de manera decisiva el cocinado con **microondas** ya que es más limpio (genera pocos humos), bastante rápido y hay muy poca pérdida de nutrientes.

No obstante, los alimentos se suelen cocer bastante en su propio jugo y el sabor no siempre gusta. Para remediarlo se incluye un **grill** que produce un dorado externo, con lo que el sabor y el aspecto son bastante aceptables.

3. EMPLEO DE LOS CONDIMENTOS, PICANTES Y ESPECIAS

Menospreciados en numerosas ocasiones, pero imprescindibles para los buenos cocineros, los condimentos alimentarios son también una buena manera de hacer apetitosos y digestivos la mayoría de los platos. Además, sus **propiedades medicinales** son muy importantes y empleados con sabiduría podemos conseguir curarnos de afecciones pequeñas, mientras disfrutamos de exquisitos alimentos.

Tan importantes fueron las especias en la antigüedad que nuestros marinos emprendían grandes y costosos viajes a ultramar con el fin de venir cargados, no solamente con oro, sino con valiosas especias que alcanzaban en el mercado un valor similar a las monedas.

La primera obra sobre las cualidades terapéuticas de las especias la escribió un tal Pablo de Egina, un médico del siglo VII que en su enciclopedia "Compendio de la Medicina en siete libros", hablaba maravillas sobre las propiedades curativas de los condimentos naturales. Con anterioridad a este sabio doctor, el histórico Vasco da Gama descubrió en uno de sus viajes un gran centro comercial sobre especias y gracias a ello, al llegar a su país, se convirtió en un afamado comerciante.

3.1. MISIÓN DE LAS ESPECIAS

Mucha gente opina que el valor de una especia o condimento es potenciar el verdadero sabor de los alimentos y dar buen olor a algo que por sí mismo no lo tiene. Confían más en mezclar distintos alimentos entre sí, realizando mezclas sofisticadas a las que ponen nombres aún más increíbles, que en añadir sustancias que aseguran ocultan y distorsionan el auténtico sabor. Son como esas personas que consideran una adulteración el mezclar café con leche, vino con gaseosa o utilizar aceite de soja.

Como veremos a continuación, los condimentos son en sí mismos un alimento y una planta medicinal, por lo que a veces constituyen una parte más importante en los platos que la comida misma.

Las diferencias

Antes de utilizarlos deberemos saber con precisión qué esperamos de ellos, al menos en cuanto al sabor, para no mezclar sabores incompatibles o al menos no deseados. Esta es la clasificación que nunca debemos olvidar:

Condimentos salinos

Se emplean en la mayoría de los platos, pero preferentemente en las carnes, guisos y muy especialmente en los feculentos. Se recomienda emplear la **sal marina**.

Sus propiedades son las de aumentar la presión osmótica intestinal y con ello la de facilitar la absorción de los alimentos, excitar la mucosa bucal y la producción de **saliva**, con lo cual empezamos a realizar la digestión en la boca. También estimula el apetito.

Condimentos aromáticos

Su solo olor hace desear un plato aunque ni siquiera lo veamos. Entre los vegetales que dan más olor están el **ajo**, el perejil frito, el **tomillo**, el romero y el perifollo. También son muy intensos la canela y la vainilla.

Condimentos acres

Su sabor es muy enérgico y son elemento preferido para quienes poseen un estómago fuerte. Con el efecto más intenso tenemos a la **pimienta**, el **jengibre, la cúrcuma** y la mostaza, mientras que de efecto medio están los rábanos silvestres. Los más suaves son la **cebolla**, el puerro y las alcaparras.

Condimentos ácidos

Calman la sed y se emplean principalmente en platos veraniegos. Los más populares son el limón y el **vinagre**.

Condimentos grasos

Favorecen la ingestión de los alimentos secos. En este grupo se encuentran los **aceites**, las nueces, los cacahuetes, las almendras dulces, la mantequilla y la **margarina**.

3.2. DÓNDE EMPLEAR LOS CONDIMENTOS

Aunque cada cocinero tiene su secreto y sus gustos personales, estas son algunas de las aplicaciones más populares sobre el uso de los condimentos.

El empleo acertado de los condimentos se emplea en ocasiones para mejorar la digestión y la tolerancia a los alimentos.

Ajedrea:

Para aderezar pepinillos, dar aroma a salsas y ensaladas, así como para asados de cerdo y guisantes.

Ajo:

Se emplea en sopas, potajes, guisos, salsas y en crudo.

Albahaca:

Por su olor es útil en pescados, sopas, salsas y ragout.

Alcaparras:

Se emplea en la zona mediterránea en sopas de pescado, entremeses y ensaladas.

Azafrán:

Elemento imprescindible en la paella y algo menos en sopas y bullabesa.

Canela:

De sabor exquisito, se emplea en dulces como el arroz con leche, pasteles, confituras, compotas y en diversos licores.

Clavo:

Su sabor intenso obliga a emplear poca cantidad en estofados.

Cominos:

Imprescindible en las legumbres, queso y algo menos en pastelería.

Corteza de limón:

Para dulces a base de leche y en platos de pescado.

Cúrcuma:

En pescados, salsas y caldos. Arroz.

Curry:

Para el arroz, pescado y ragout.

Estragón:

En platos de carne, callos y ensaladas.

Jengibre:

En carnes asadas, salsas, berenjenas y también en confituras.

Laurel:

Para platos de pescado, sesos, crustáceos y mollejas.

Mejorana:

Imprescindible en pizzas, pastas y ensaladas.

Menta:

Para dar aroma a platos de carnes blancas y pescados.

Mostaza:

Esencialmente en carnes, perritos y salsas.

Nuez moscada:

Para salsas besamel, picadillos, croquetas de carne y estofados.

Paprika:

En pollos, salsas, arroz y huevos.

Pepinillo:

Casi exclusivamente para entremeses y ensaladas.

Perejil:

Muy extendido en platos de pescado, mejillones, caracoles y bacalao.

Pimentón:

En sopas y guisos.

Pimienta:

Ampliamente empleada en platos fuertes de carne, pescados grasos, conejo y coliflor.

Tomillo:

Como adobo para ensaladas y aceitunas.

Vainilla:

En platos dulces, licores y chocolate.

TEMA 16

BEBIDAS

1. VINO

Está elaborado a partir del zumo de la uva mediante su fermentación que le da una graduación alcohólica variable (10-15%), siendo más alta en los dulces.

El secreto de su calidad y sabor está básicamente en la conservación. Dicen los expertos que el mejor vino es aquél que tiene 30 años, pero que a partir de entonces envejece y pierde su aroma.

Se calcula que un vino terminado de elaborar deberá madurar entre seis y doce meses y entre cinco y diez años será considerado ya un buen vino, el cual se podrá conservar quizá hasta 30 años sin que empiece a perder su aroma y su alcohol, lo que le convertiría en un simple mosto de uva.

¿Saludable o perjudicial?

Si preguntan a un bebedor, incluso a un médico, le dirán que un poco de vino en las comidas es bueno para hacer la digestión, afirmación muy subjetiva que no corresponde a la realidad. El vino no ayuda a la digestión, la entorpece, produce calorías vacías y aporta una cantidad considerable de alcohol etílico. Solamente una hábil campaña publicitaria elaborada por las empresas del vino, y médicos sin escrúpulos o desinformados, ha logrado que una bebida en principio perjudicial se transforme en una bebida saludable.

El problema, insistimos, está en su contenido alcohólico y si tenemos en cuenta que en ningún hospital se sirve vino a los enfermos, nos daremos cuenta que una cosa es la publicidad y otra muy distinta la verdad. Y si para un enfermo (y para una embarazada o para un niño) todo el mundo está de acuerdo en que es perjudicial, para un sano también lo puede ser, si se dan las circunstancias físicas adecuadas y se toma en cantidad excesiva.

El vino, por tanto, consumido con mucha **moderación** en personas adultas, con un hígado y estómago sanos y una actividad física diaria, no parece que tenga efectos muy nocivos, aunque menos los tiene el agua. Sin embargo, cualquier persona delicada de salud y con más motivo aquellos que conducen vehículos, máquinas o que tienen alteraciones del comportamiento social, deberán abstenerse de beberlo.

No crea que el mejor vino es el más viejo; posiblemente esté ya estropeado. Aunque las botellas estén bien cerradas, en casa hay que guardarlo en un lugar sin olores, fresco y oscuro y en el cual no existan vibraciones continuadas. El clima debe ser templado, sin demasiada humedad.

Parece ser que el vino tinto se tolera mejor por los estómagos delicados, mientras que el blanco es algo diurético, diferencia importante de conocer por si queremos elaborar vinos medicinales.

2. SIDRA

Debería ser la reina de las bebidas de baja graduación alcohólica, pero su consumo se limita a regiones del norte de España. El problema para esta poca difusión parece ser en que es una bebida que admite muy mal el cambio de clima y mucho menos el movimiento. Por ello, si la mejor manzana se da en el norte y allí es donde se elabora inmediatamente de la recogida, es poco probable que pueda llegar con su sabor original al resto de España.

Para su fabricación se emplean manzanas muy especiales que producen un mosto ácido. Este mosto contiene **azúcar**, **pectina**, ácidos tartárico y málico, mucílagos, **proteínas** y sales minerales. Una vez fermentado, el sabor es ácido y muy agradable, aunque una ez abierta una botella no se debe conservar ya que se altera con facilidad.

Una variedad también muy popular es la sidra espumosa, similar al champán, la cual es consumida por aquellas personas que no pueden tolerar el grado alcohólico del champán.

Propiedades medicinales

Aunque no podemos olvidar que tiene una pequeña graduación alcohólica (apenas un 4%), es una bebida que consumida con moderación la podemos aprovechar para mejorar nuestro estado de salud. Su principal efecto, el **diurético**, es muy intenso y rápido, por lo que puede ser útil en ***reumatismos***, obesidad, ***gota***, hipertensión y piernas pesadas. Tiene una buena acción digestiva, es muy **refrescante** y contribuye a eliminar las arenillas y cálculos renales. Además, su "resaca" es muy soportable si la tomamos después de las comidas.

3. CERVEZA

Es otra bebida poco alcohólica que puede consumirse con moderación. Obtenida mediante la fermentación de malta o **cebada** y mezclada con la flor del **lúpulo** (que le da el clásico aroma y amargor), proporciona una graduación alcohólica entre 3 y 5 grados, similar a la sidra.

Al contrario que ocurre con otras bebidas alcohólicas, en las cuales el tiempo juega en su favor, la cerveza se degrada bastante y es necesario conservarla siempre en lugar frío.

¿Se puede considerar un alimento líquido a la cerveza?

Aunque las diferencias entre las primitivas cervezas y las de ahora son abismales (las antiguas eran mucho más nutritivas), todavía conservan muchas de las propiedades como bebida en cierto modo saludable. Contiene 50 calorías por 100 gr, vitaminas del **grupo B**, **azufre**, fósforo, hierro, **magnesio**, manganeso y proteínas. Además, la presencia de lúpulo le confiere todas las propiedades terapéuticas de esta planta, aunque su contenido en alcohol haga que deba ser consumida con prudencia.

También contiene maltosa, sacarosa, pentosas y dextrinas.

Propiedades terapéuticas

Puede emplearse como **inductor al sueño**, para **engordar**, para aumentar la cantidad de leche en las embarazadas, como laxante suave, aperitiva y **diurética.**

Como efecto secundario importante está el de producir aumento de las glándulas mamarias, incluso en el hombre, quizá por su contenido en **estrógenos**, presentes en el lúpulo.

La cerveza sin alcohol en realidad todavía contiene un 1%, aunque esta cantidad ya no se considera perjudicial. Además de los principios nutritivos de la cerveza normal contiene también **ácido ascórbico**, enzima proteolítico y anhídrido carbónico.

La cerveza sin alcohol se puede emplear como bebida nutritiva y estimulante en los niños mal alimentados, los **deportistas**, las personas nerviosas, las embarazadas y lactantes, los ancianos y, en general, en aquellas personas que necesiten un aporte líquido de nutrientes.

4. CAFÉ

El café descafeinado aún contiene algo de cafeína y sustancias que ciertos investigadores consideran perjudiciales para la salud.

Composición

Los granos frescos, sin tostar, contienen algo de proteínas, azúcar, celulosa, **taninos** y un 2% de **cafeína**, aunque al tostarlo apenas llega al 1,25%. Por ello, una taza de café cargado puede contener 100 mg de cafeína. Un buen café aporta algo de **potasio** y **vitamina PP**.

Propiedades

Su efecto medicinal está casi centrado en la cafeína, la cual sabemos es un gran **estimulante** del sistema nervioso. Mejora las contracciones cardiacas, favorece la capacidad de **concentración**, es ligeramente estimulante del apetito, prolonga la resistencia al ejercicio, es **diurético**, favorece la expulsión de la urea y ligeramente laxante. Se le atribuyen propiedades para mejorar el asma, combatir el sueño y aliviar las ***jaquecas***.

Contraindicaciones

No debe darse a niños menores de doce años, los cuales deberán tomar sus sustitutos a partir de la **malta** y **achicoria**. Tampoco deben consumirlo los que padezcan úlceras gástricas, ***taquicardias, insomnio, agresividad***, angustia o estreñimiento.

Las sobredosis de café pueden darse con solamente tres tazas al día.

La intoxicación cursa con temblores, vómitos y dolores de cabeza. Los bebedores crónicos acusan vértigos, convulsiones, alucinaciones, falta de coordinación muscular, trastornos cardíacos, fatiga y ***taquicardia*** paroxística.

5. TÉ

Se conocen dos variedades básicas, el té **verde** y el **negro**, estando éste último aromatizado con hierbas.

El té pasa de verde a negro mediante un proceso de marchitado, amasado y aplastamiento entre rodillos, además de la fermentación, secado y cernido. El té verde se consigue calentando las hojas antes de que fermenten.

Composición

Contiene: **flúor**, manganeso, vitaminas B-2 y PP, clorofila, albúmina, resina, goma, **taninos**, celulosa, teobromina y teína, un **alcaloide** con efectos similares a la cafeína.

Propiedades

Se piensa que su consumo es más beneficioso que el café, aunque sus efectos perjudiciales pueden son los mismos. Es buen **estomacal**, estimula el sistema nervioso, favorece la digestión y se tolera bien por los estómagos sensibles. Posee un buen efecto **diurético**, provoca sudor y se le considera que ayuda a combatir la ***obesidad,*** en especial la variedad "Sinnensis". Tiene un gran efecto **astringente**, combate la fatiga y mejora la adaptación al frío. El té verde es uno de los mejores antioxidantes que existen y posee cierta actividad beneficiosa sobre los telómeros, los extremos de los cromosomas en donde radica la longevidad. Su contenido en flúor obliga a ser prudente en su consumo ya que, entre otros efectos, colorea bastante el esmalte dentario.

6. BEBIDAS ESTIMULANTES

Extractos de cola

Su fórmula está basada en los extractos de la **nuez de cola**, las semillas de ciertas especies de árboles tropicales de la misma familia que el cacao. Miden unos 2,5 cm de longitud, son de color pardo moteado o gris rojizo, y exhalan un aroma parecido al de la nuez moscada. Aunque originalmente de sabor amargo, se vuelven ligeramente aromáticas al envejecer, aportando **cafeína, taninos** y **teobromina**. Originalmente, los refrescos contenían también extractos de **coca**, por lo que producían una mayor euforia a causa de su contenido en cocaína. Este último componente fue eliminado hace más de 50 años.

Además de cafeína contienen ácido fosfórico, carbohidratos y gas.

Las variedades "sin cafeína" o "light" no aportan ninguna ventaja especial al producto base, pues al cambiar el azúcar por sacarina, ciclamato, glutamato o aspartamo, se añade un producto químico que antes no contenía.

Las bebidas que sustituyen el azúcar común por un edulcorante químico, no son más saludables.

Té con aditivos

Las bebidas a base de té son una alternativa válida para aquellas personas que gustan de la acción de la **cafeína**, ya que los efectos de la teína son similares, al ser ambas de la misma familia química.

Los **efectos secundarios** de ambas pueden ser: insomnio, excitación, ***gastralgias*** por acidez, ***taquicardias*** y ligera subida de la tensión arterial. Su acción sobre el sistema nervioso central es acumulativa y, al igual que con el café, puede crear adicción. Están contraindicadas en el ***parkinsonismo*** y en la mayoría de las enfermedades mentales. Aunque suelen quitar el sueño, paradójicamente pueden producir un sueño agradable en una persona deprimida. También tienen efectos **diuréticos** moderados y una modestísima acción broncodilatadora, similar a la teofilina.

La cafeína inhibe una sustancia orgánica denominada fosfodiesterosa, la cual inactiva al AMP (adenosínmonofosfórico) mediante su catabolización.

A efectos de dieta adelgazante y salvo su contenido en azúcar, ingeridas entre comidas mitigan bastante la sensación de hambre y producen cierta euforia que ayuda a llevar los regímenes drásticos.

7. BEBIDAS INTELIGENTES

Las nuevas bebidas a partir de **ginseng**, **jalea real**, aminoácidos, vitaminas y minerales suponen también una buena alternativa a las tradicionales bebidas estimulantes, ya que su procedencia natural las hace recomendables.

Son algo más caras, pero pueden aportarnos los beneficios medicinales de las sustancias incorporadas, por lo que en principio parecen aptas para el consumo cotidiano.

8. BEBIDAS ISOTÓNICAS

Suelen contener una mezcla equilibrada de **sales minerales**, tales como sodio, potasio, magnesio y fósforo, así como cantidades importantes de azúcar. Se empezaron empleando solamente en las actividades deportivas, pero actualmente ya están disponibles para todo el mundo.

Son unas bebidas excelentes para los meses de gran calor, evitan los ***sudores*** excesivos y se consideran indispensables para los deportistas. También ayudan a hidratar el cuerpo en caso de ***vómitos*** y ***diarreas***, siendo un tratamiento de fondo adecuado para corregir arrugas prematuras.

Su mayor inconveniente es la cantidad de azúcar que puedan contener, lo que obliga a emplearlas con moderación, así como la posible contraindicación por su contenido en **sodio**. De no existir ninguna enfermedad, son una buena alternativa en los meses de verano, ayudando también a evitar ***calambres*** y ***agujetas*** en los deportistas.

TEMA 17

ALIMENTACIÓN PERSONALIZADA

DIETA PARA DIABÉTICOS

El diabético es un enfermo que normalmente tiene que arrastrar su enfermedad durante el resto de su vida y aunque controlarla es bastante fácil por la gran cantidad de remedios, naturales o químicos, que existen en la actualidad, uno de los mayores problemas es buscar diariamente la alimentación adecuada. Si, además, acusa cierto sobrepeso, algo habitual, el problema es mucho más complicado, ya que a la restrictiva dieta para su enfermedad tiene que añadir otra nueva dieta para perder peso. Lo normal es que un diabético controlado por un médico tenga un régimen muy estricto en cuanto a hidratos de carbono se refiere, aunque ahora se cree que es más importante suprimir las grasas saturadas.

Lo primero que debe recordar el diabético es que de lo acertada que sea su alimentación depende su salud y que la dieta debe estar dirigida de una manera personal; no valen, por tanto, tablas o recomendaciones estandarizadas.

La alimentación del diabético debe ser rica en **alimentos vegetales** crudos y abundancia de **fibra**, comiendo especialmente aquellos alimentos que tienen influencia positiva en la enfermedad, como son las **manzanas** y todos los de sabor amargo, especialmente las **alcachofas**. Un diabético puede comer perfectamente fuera de casa, en un restaurante convencional, de la misma manera que lo puede hacer un vegetariano. No es la diabetes una enfermedad limitante en nuestro modo de vivir, pues sabemos que la alimentación en la diabetes debe ser tan sabrosa y exquisita como la de cualquiera.

Recomendaciones imprescindibles: No comer grasas procedentes de mamíferos ni hidratos de carbono muy refinados.

Alimentos muy recomendables

Pepinos, endibias, alcachofas, lechuga, escarola, berros, acelgas, setas, berenjenas, apio, calabazas, rábanos, coles, coliflor, tomate, **judías verdes**, brécol, espinacas, zanahorias, melón y limón.

Alimentos saludables

Guisantes, manzanas, **pera**, albaricoque, melocotón, pomelo, fresa, cerezas, piña natural.

Alimentos saludables a consumir como complemento

Almendras, **nueces**, avellanas, patatas, piñones.

Alimentos a consumir con moderación

Plátanos, uvas, castañas, dátiles, higos.

Cereales a consumir en cantidad moderada, preferentemente integrales

Germen de trigo, harina integral de trigo, pan integral, pan de centeno.

A consumir de cuando en cuando

Copos de avena, arroz (si son integrales se pueden comer más a menudo).

Otros alimentos que no causan daño

Leche de vaca descremada, yogur, kéfir, requesón, queso de cabra, huevo entero.

Fructosa.

Alimentos desaconsejados

Carne de mamíferos en general, incluidos los **embutidos**.

Nata fresca.

Mantequilla

Queso manchego.

Margarinas no estrictamente vegetales.

Azúcar blanco y dulces no integrales elaborados con azúcar refinado.

Se recomiendan hierbas como Travalera, Copalchi y Vainas de Judías

Ejemplos de una dieta adelgazante para diabéticos

El valor medio de las calorías/día es de 2.000

Desayuno

- Café con leche, queso fresco, mermelada de arándanos con fructosa.

Comida

- Judías verdes, patatas cocidas al vapor, pollo sin piel, escarola y manzana.

Merienda

- Yogur, galletas integrales.

Cena

- Pasta de fideos integrales hecha con caldo vegetal, un huevo, espinacas y una naranja.

Desayuno

- Leche de almendras con fructosa, queso fresco, mermelada con fructosa.

Comida

Espinacas, carne de soja, cebollas, zanahorias y fruta.

Merienda

Leche de soja, galletas integrales.

Patatas cocidas, alcachofas con caldo de verduras, champiñones, salsa de tomate y una pera.

Cena

Patatas cocidas, alcachofas con caldo de verduras, champiñones, salsa de tomate y una pera.

Desayuno

Copos de avena con leche de soja, uvas pasas y pipas de girasol.

Comida

Ensalada con salsa natural, pan integral, queso fresco, manzana y yogur.

Merienda

Uvas enteras, dulce integral con fructosa y cacahuetes.

Cena

Ensalada, brécol cocido, pan integral con leche de almendras.

2. DIETA PARA HIPERTENSOS

Normalmente, cualquier hipertenso que se someta a una dieta adelgazante suele ver mejorada su hipertensión, especialmente cuando suprime la sal común y los alimentos grasos. No obstante, esta dieta controlada no le soluciona la enfermedad y requiere el uso de medicamentos que impidan subidas de tensión peligrosas. La alternativa que proponemos ahora es que, junto a la reducción del peso, se logre una mejoría no solamente en su enfermedad principal, sino en su estado de salud general.

La hipertensión es una enfermedad que no se conocía en la antigüedad, aunque quizá era porque no existían los aparatos conocidos como tensiómetros (esfigmomanómetros) y la evaluación del pulso se hacía simplemente con la mano, válido aunque impreciso. Lo que sí sabemos ya con certeza es que tuvo una incidencia enorme a partir de la revolución industrial, con el aumento del nivel adquisitivo de los habitantes de las ciudades y el consumo mayoritario de carne.

Lo cierto es que si analizamos la dieta de una persona vegetariana, e incluso ovo-lacto-vegetariana, no vemos que haya suprimido la sal en sus alimentos, pero la incidencia de hipertensos entre ellos es mucho más reducida que en el resto.

Los estudios realizados demuestran que los vegetarianos no suelen padecer hipertensión, ni siquiera con el aumento de la edad. En el lado opuesto, se considera que entre un 20 y un 30 por 100 de la población que come carne habitualmente padece hipertensión.

A estas personas, además del uso continuado de medicamentos antihipertensivos, entre los que se incluyen diuréticos, antagonistas del calcio, betabloqueantes, etc., se les pone como rutina indispensable la supresión casi total de la sal de cocina.

Otros especialistas recomiendan iniciar el tratamiento con una dieta libre de grasas, pobre en sal, rica en fibras y quizá suplementos de potasio. Los resultados son buenos a largo plazo, pero no pueden prescindir totalmente de su medicación. Cuando estos alimentos se alternan con productos integrales, sin refinar, la enfermedad mejora aún más.

Según los estudios realizados sobre un grupo numeroso de personas hipertensas durante un tiempo de nueve semanas, la dieta vegetariana equilibrada en nutrientes lograba reducir las pulsaciones iniciales de 85 a 82 al minuto, mientras que el peso medio de 75 kilos se reducía a 72 kilos. La tensión arterial, sin medicación alguna de ayuda, pasaba de 153 mmHg a 134 mmHg, mientras que la diastólica bajaba de 94 a 79 mmHg de promedio.

La conclusión es que las personas aquejadas de hipertensión pueden lograr una gran calidad de vida, nuevas energías, bajar de peso y mejorar su enfermedad, solamente con la adopción de una dieta exenta de carnes y derivados.

Contenido en sal de algunos alimentos

Aceitunas verdes: 2.400 mg (por 100 gramos).

Aceitunas negras: 750 mg

Apio crudo: 125 mg

Hígado de cerdo: 185 mg

Cangrejos: 1.000 mg

Jamón serrano: 930 mg

Salchichas de cerdo: 950 mg

Galletas de aperitivo: 1.100 mg

Gambas cocidas: 185 mg

Guisantes congelados: 115mg

Huevo entero: 122 mg

Judías en conserva: 235 mg

Mantequilla fresca: 987 mg

Mantequilla de cacahuete: 605 mg

Margarina: 980 mg

Mejillones: 280 mg

Pan de centeno: 557 mg

Pan de trigo: 505 mg

Pan integral: 520 mg

Patatas de bolsa: 1.000 mg

Pavo: 130 mg

Pepinillos en vinagre: 1.400 mg

Merluza frita: 170 mg

Salmón al horno: 115 mg

Sardinas en aceite: 820 mg

Queso manchego: 600 mg

Requesón: 220 mg

Tocino frito: 1.010 mg

Salsa catsup: 1.300 mg

Alimentos más pobres en sodio

Acerola: 8 mg

Aguacate: 4 mg

Albaricoque natural: 1 mg

Avellanas naturales: 2 mg

Arroz blanco sin sal: 2 mg

Berenjenas: 1 mg

Berros: 14 mg

Brécol: 13 mg

Castañas naturales: 6 mg

Calabacín: 1 mg

Cebolla: 10 mg

Harina de maíz: 1 mg

Cerezas: 2mg

Ciruelas naturales: 1 mg

Coles de Bruselas: 14 mg

Dátiles frescos: 4 mg

Endibias: 14 mg

Espárragos frescos: 1 mg

Fresas: 1 mg

Champiñones frescos: 15 mg

Lechuga: 9 mg

Limón: 1 mg

Macarrones al natural: 1 mg

Manzana: 1 mg

Melocotón: 1 mg

Miel: 5 mg

Naranja: 1 mg

Papaya: 3 mg

Patatas hervidas sin sal: 2 mg

Patatas fritas sin sal: 6 mg

Pimiento crudo: 13 mg

Piña natural: 1mg

Plátanos: 1 mg

Sandía: 1 mg

Pomelo: 1 mg

Tomate natural: 3 mg

Harina de trigo: 2 mg

Germen de trigo: 3 mg

Uvas: 3 mg

NOTA: Un alimento rico en sodio podría ingerirse si estuviera equilibrado en potasio.

Se recomiendan hierbas como Espino blanco, Muérdago y Olivo

3. DIETA PARA ENFERMOS DE GOTA O REUMATISMO

La gota es una enfermedad compleja, de origen incierto, causada por una alteración en el metabolismo del ácido úrico, originada por la ruptura de proteínas, lo que ocasiona una elevación del ácido úrico en la orina. No obstante, la patología se agudiza cuando la procedencia de las proteínas es de origen animal, siendo menos intensa cuando el consumo viene del pescado, de las legumbres o de la soja (todos tan ricos en proteínas como la carne.)

La carne de mamíferos, y en mayor proporción las vísceras, contiene una gran cantidad de purinas, las cuales, entre otros males, elevan la cantidad de ácido úrico en sangre.

Si, además, bebemos vino en las comidas, las materias nitrogenadas del vino se transformarán en nuevas purinas.

Un dato significativo es que la ingestión de abundante agua mitiga sensiblemente los nuevos ataques.

Con la enfermedad, el riñón acumula oxalatos, urea y tofos, que se depositarán en las articulaciones o en el dedo gordo de los pies. Esta cristalización produce unos dolores muy agudos y una limitación muy importante del movimiento.

Por tanto, y para que la dieta sirva al mismo tiempo para bajar de peso y mejorar la enfermedad, lo más eficaz es suprimir las proteínas de origen animal y comer solamente las vegetales, las cuales no generan el mismo incremento de ácido úrico en sangre.

También es conveniente aumentar la ración de **carbohidratos complejos**, ya que facilitan la excreción del ácido úrico, mientras que las grasas animales lo dificultan. Hay que beber bastante cantidad de agua, entre dos y tres litros diarios, y evitar todo aderezo en las comidas que no sea natural, o sea, vinagre de manzana, limón y especias aromáticas como el **romero**.

El modo de cocinar es muy importante, ya que si se ponen los alimentos en agua fría es posible que las purinas pasen al agua, lo que ocurre en mucha menor medida cuando se añaden al agua ya caliente.

Alimentos aconsejados

Yogur, quesos frescos, kéfir, huevos, pan y pastas integrales, judías verdes, zanahorias, acelgas, alcachofas, lechuga, patatas, frutas en general, mantequilla.

Infusiones de hierbas (**bardana**, harpagofito) y zumos de frutas.

Alimentos desaconsejados

Todas las grasas de procedencia animal, la carne de mamífero, incluidas las **vísceras** y los **embutidos**, el jamón, el cordero, la **caza**, los **mariscos**, los guisantes, las setas y champiñones, las espinacas, los espárragos y cualquier tipo de bebida alcohólica.

Contenido en ácido úrico de algunos alimentos

(Por 100 gramos.)

Arenque: 207 mg

Carne de pavo: 151 mg

Carne de pollo: 155 mg

Salmón: 139 mg

Hígado de ternera: 360 mg

Molleja de ternera: 990 mg

Hígado de vaca: 330 mg

Bacalao: 70 mg

Caldo de ternera: 1.270 mg

Lomo de cerdo: 145 mg

Cerveza: 18 mg

Espinacas: 80 mg

Espárragos: 25 mg

Champiñones: 54 mg

Langosta: 66 mg

Jamón serrano: 139 mg

Lentejas: 66 mg

Sardinas en aceite: 350 mg

Ostras: 87 mg

Ejemplo de una dieta antirreumática

Desayuno

Achicoria con leche, mantequilla vegetal, mermelada con tostadas y un zumo de naranja.

Achicoria, leche de almendras, muesli con frutos secos y mermelada sin azúcar. Zumo de frutas.

Comida

Judías verdes con tomate y cebolla. Trucha con patatas. Postre.

Patatas guisadas con zanahorias y judías verdes. Pescado a la plancha con zumo de limón. Pera o sandía.

Pasta italiana con tomate, queso rallado y nuez moscada. Carne vegetal con judías verdes. Melón o manzana.

Merienda

Infusión de hierbas. Queso fresco con pan.

Infusión de hierbas. Pan tostado con paté vegetal.

Yogur y un bizcocho sin nata o crema.

Cena

Caldo vegetal con zanahorias, cebolla y acelgas. Un huevo con patatas. Una manzana.

Sopa de sémola, un huevo cocido o pasado por agua. Naranja.

Caldo o sopa de pescado. Croquetas o empanadillas con tomate. Fruta.

Alimentos más ricos en magnesio, mineral muy recomendable en las afecciones articulares

Aceitunas verdes: 22 mg (por 100 gramos)

Almendras: 270 mg

Aguacate: 45 mg

Apio: 22 mg

Avellanas: 180 mg

Brécol: 21 mg

Café instantáneo: 450 mg

Cardos: 65 mg

Castañas: 40 mg

Coco rallado: 75 mg

Berza: 57 mg

Dátiles: 68 mg

Harina de maíz: 106 mg

Mantequilla de cacahuete: 170 mg

Melaza de caña: 46 mg

Nueces: 250 mg

Pan de centeno: 42 mg

Pan integral: 75 mg Pasas: 35 mg

Salmón: 30 mg

Pistachos: 150mg

Germen de trigo: 330 mg

4. DIETA ADELGAZANTE PARA ENFERMOS DEL RIÑÓN

Lo importante de esta dieta es que no sobrecargue el riñón, especialmente cuando existe una insuficiencia. Mediante el tratamiento médico y la combinación con la dieta, se busca también asegurar un equilibrio hidrosalino correcto, mantener el balance del nitrógeno y favorecer la expulsión de las sustancias tóxicas habitualmente presentes en la orina.

El problema es que estos enfermos no soportan bien las proteínas ni las grasas, por lo que la alimentación debe estar primordialmente basada en hidratos de carbono. Las proteínas hay que ajustarlas en base a la eliminación de las sustancias nitrogenadas de cada enfermo, y aunque las de origen animal son más completas en aminoácidos esenciales, tienen el inconveniente de que también aportan más grasas y ácido úrico. Una vez más, las proteínas procedentes de los vegetales son las más adecuadas o quizá las que vienen del pescado o las algas.

La abundancia de hidratos de carbono será esencial, ya que con ellos se reduce el catabolismo de las proteínas, favoreciendo su combustión, por lo que no existe inconveniente en dar **azúcares naturales** como la fructosa, el azúcar moreno o la miel. Las grasas por supuesto serán de origen vegetal, evitando sobre todo no calentarlas demasiado y tomarlas con preferencia en estado crudo.

El agua no hay que restringirla y una vez sabido el volumen de orina que se expulsa diariamente hay que tratar de aumentarlo en unos 700 cc. No es necesario que sea pobre en sodio e incluso en algunos casos, como en el aumento de la diuresis, quizá sea necesario aumentar la dosis de sal.

En el caso de que necesitemos eliminar todo el sodio posible de los alimentos (si existen edemas), bastará con poner los alimentos en agua previamente caliente y cocinar largamente, siendo conveniente tirar el agua a los pocos minutos y añadirle nuevamente la misma cantidad hasta completar el guiso.

Si lo que deseamos es eliminar el potasio dejaremos las verduras en agua fría por lo menos media hora antes de guisarlas.

Alimentos aconsejados

Leche, queso fresco, yogur, kéfir. Huevos, cereales, pastas italianas, verduras en general, patatas, frutas del tiempo, aceites vegetales. Miel, azúcar moreno, melazas. Zumos de frutas y verduras, así como infusiones de brezo, cola de caballo, vara de oro o grama.

Alimentos desaconsejados

Quesos fuertes o fermentados. Carnes en general y especialmente los embutidos. Pescados ahumados, salados, en conserva o mariscos. Legumbres en lata, conservas, chocolate, caldos concentrados o sopas en sobre.

Se recomiendan hierbas como Cola de caballo y Arenaria.

Ejemplo de dietas para el riñón

Desayuno

Achicoria o malta, pan tostado y mermelada.

Infusión de ginseng, margarina y mermelada con pan.

Comida

Coliflor con besamel, carne de pollo y un poco de arroz blanco.

Patatas cocidas con salsa de tomate, ensalada de lechuga con vinagre, aceite y especias sin sal, pescado blanco.

Arroz blanco con berenjenas, huevos duros con pimientos y patatas, fruta.

Merienda

Infusión de plantas con alguna galleta.

Cena

Caldo de verduras con alguna patata. Calabacín con revuelto de huevo. Fruta.

Puerros en puré de patatas, pescado con besamel, manzana.

Puré de zanahorias, tortilla de cebolla y fruta.

Contenido en potasio de algunos alimentos

(En principio, favorable para eliminar líquidos, salvo contraindicación expresa del médico.)

Almendras naturales: 770 mg (en 100 gramos)

Aguacate: 600 mg

Albaricoque: 280 mg

Apio: 340 mg

Avellanas: 700 mg

Berros cultivados: 600 mg

Brécol: 240 mg

Hígado de buey: 380 mg

Cacahuetes tostados: 700 mg

Café instantáneo: 3.000 mg

Cardos: 500 mg

Castañas frescas: 450 mg

Cebolla cruda: 150 mg

Jamón serrano: 320 mg

Ciruelas naturales: 170mg

Coco rallado: 350 mg

Berza: 400 mg

Achicoria: 420 mg

Dátiles secos: 640 mg

Escarola: 290 mg

Espinacas: 320 mg

Guisantes congelados: 130 mg

Higos secos: 640 mg

Champiñones frescos: 410 mg

Lechuga: 175 mg

Zumo de limón: 140 mg

Manzana: 110mg

Mejillones: 310 mg

Melaza de caña: 910 mg

Melocotón: 200 mg

Melón: 250 mg

Nabo crudo: 260 mg

Naranja: 200 mg

Nueces: 600 mg

Pan de centeno: 140 mg

Pan integral: 270 mg

Pasas: 760 mg

Patatas fritas: 850 mg

Patatas de bolsa fritas: 1.100 mg

Pavo: 360 mg

Pepinillos en vinagre: 200 mg

Merluza frita: 340 mg

Salmón: 440 mg

Sardinas en aceite: 590 mg

Pimiento verde: 210 mg

Plátanos: 370 mg

Pistachos: 970 mg

Rábanos: 260 mg

Repollo: 230 mg

Carne de ternera cocida: 500 mg

Tocino ahumado: 430 mg

Tomate: 240 mg

Germen de trigo: 820 mg

Yogur: 140 mg

TEMA 18

PLATOS SABROSOS, SALUDABLES Y QUE NO ENGORDAN

Sopas y ensaladas

Ensalada a base de **tomates** muy maduros, queso muy picado, cebollas crudas picadas, aceitunas, aceite y espolvorear con orégano.

Una ensalada de **escarola**. Se hace mezclando la escarola con tomates, lechuga, hierbabuena y ajo picado, aderezándolo con aceite de oliva y vinagre de manzana.

La ensalada de **germinados** se prepara rallando zanahoria y mezclándola con los germinados elegidos, así como con ajo, cebolla, aceitunas negras, limón y aceite.

El **apio** se corta en forma de palitos, se le añade lechuga también picada, un yogur, ajo machacado, sal marina y algo de queso fresco.

La ensalada de **zanahorias** se prepara mezclando zanahorias ralladas con aceitunas y apio troceado. añadiendo algo de infusión de menta.

Si preferimos una ensalada de **alcachofas**, se cuecen previamente las alcachofas (o se emplean las que ya vienen preparadas) y se mezclan con lechuga, tomates, ajo picado, achicoria y un poco de perejil. Se añade una salsa al gusto.

Los germinados de **soja** también se comen mezclados con lechuga, tomate, pimiento rojo y cebolla, añadiendo una vinagreta.

Una ensalada de **hierbas** aromáticas se hace mezclando romero, hierbabuena, orégano, perejil y salvia con tomate, pepino en rodajas, apio troceado, lechuga, zanahoria rallada y aceitunas negras.

Se hace un **caldo vegetal** cociendo en agua zanahorias, apio, pimiento rojo y patatas troceadas, además de judías verdes, alcachofas, cebollas en rodajas, un tomate bien maduro, algo de hierbabuena y una taza de aceite de oliva. En el momento de servirlo se añade a cada plato un huevo entero.

La sopa de **cardos** se hace cocinando los cardos a fuego lento, no tirando el caldo de la cocción. Se rehoga una cebolla cortada en aceite y se añade un poco de harina hasta que se dore, a continuación se mezcla con almendras machacadas, los cardos y el agua.

Para preparar una sopa de **cebollas** se rehoga la cebolla en aceite, se añade harina de trigo y cuando esté dorada se añade agua. En el momento de servirla se pone un poco de aceite de oliva en crudo.

La **tapioca** se hace poniendo en agua hierbabuena, a la que cuando hierva se añade la tapioca, removiendo durante diez minutos. Cuando lo vayamos a comer se pone un huevo batido en cada plato y un poco de curry.

La sopa de **pescado** se hace cociendo el pescado y zanahorias. Cuando haya finalizado, se escurre el agua y en ese caldo se pone apio, germinados de soja, aceite de oliva, cebolletas y el pescado bien desmenuzado. Se cuece todo y en el momento de servir se añade salsa de soja.

La tradicional sopa de **avena** se hace poniendo a hervir una taza de copos de avena con zanahorias, apio, ajos y cebolla, incorporando en el último momento unas pocas espinacas.

Se cortan y cuecen con algo de aceite dos **calabacines** en forma de barca, vaciándolos de su interior. Se hace un relleno con pimiento rojo, cebolla, ajo y aceitunas verdes sin hueso, y se pone al horno durante quince minutos.

Se rehoga **ajo**, pan, pimiento y perejil, y cuando estén dorados se añaden almendras convirtiendo todo en una pasta. Se añade agua para la sopa y se sazona, hirviéndolo todo.

Se tuestan trozos de **pan**, se rallan y se añade sal, tomate, ajo y agua, hirviéndolo todo.

La sopa de **pan** se hace poniéndolo en remojo, sazonándolo o cociéndolo durante quince minutos con algo de mantequilla. Se baten huevos y se añaden al caldo de pan.

Rallar **zanahoria** y manzana y las mezclamos con una cucharadita de aceite y dos yogures, poniéndolo sobre unas hojas de lechuga y algunas hierbas picadas.

Cogemos unas matas de **diente de león** en el campo. Preparamos los ingredientes con cebolla bien cortada, un diente de ajo machacado y doramos en aceite junto a la cebolla y la sal, incorporándolo a las hojas de diente de león con un poco de vinagre y agua.

Se pelan y rallan **apio** y manzana. Se añade una salsa a base de zumo de limón y yogur, sal, corazón de piña y avellanas picadas.

Se cortan unos **rabanillos** y tomates en rodajas, así como una cebolla, rociándolo con aceite, limón, sal, pimienta y condimentos adecuados. Se pone encima de unas hojas de lechuga.

Otros platos

Cortar un **pepino** en rodajas y aderezarlo con ajo machacado, yogur, sal, estragón, una yema de huevo y aceite. Ponerlo junto con lechuga y nueces picadas.

Trocear **champiñones** *y* mezclarlos con un pimiento, una berenjena, un calabacín y algunas alcachofas. Recubrir con salsa de tomate, sal y orégano, poniéndolo en el horno durante veinte minutos.

Se mezclan **patatas** ralladas con cebolla, perejil, huevo y aceite, y se hacen montoncitos apretándolos con las manos. Se mete en el horno hasta que estén ligeramente dorados.

Cortar una **manzana** en rodajas, sin hueso ni piel, y hervirlas un poco con miel y canela. Se le añaden almendras sin tostar y se gratinan en el horno.

Se hierven unos **guisantes** *y* zanahorias con algo de sal, y cuando estén fríos se mezclan con una yema de huevo, algo de leche, harina integral, sal marina, aceite y una clara batida. Se cuece un poco en el horno.

Se cuece al vapor un cuarto de **pescado blanco** *y* se le tritura posteriormente. Se le añade cebolla, pimiento rojo troceado y zanahorias ralladas. Se vacían dos tomates y se añade esta pasta con algo de perejil y ajos picados.

Se untan algunas **alcachofas** con limón. Se cuecen junto a judías verdes, guisantes frescos, patatas peladas y zanahorias picadas, sirviéndose junto a una salsa de ajo y limón.

Se cortan a lo largo unas **berenjenas** *y* se vacían. Con la masa troceada, un poco de aceite, pimiento y cebollas picadas se hace un sofrito que sirve para rellenar las cáscaras de las berenjenas. Se pone una loncha de queso para fundir y se mete a horno lento durante unos minutos.

Se limpian de pepitas unos **pimientos rojos** *y* se les unta en aceite. Se rellenan con una masa de pescado, guisantes tiernos y un poco de jengibre, poniéndolo a horno lento.

Para una **ensalada rusa** se cuecen al vapor las patatas, los guisantes, las judías verdes y los espárragos, cortándolo todo en tamaños similares. Se le añaden pepinos, apio, lechuga y zanahorias ralladas, además de una salsa con limón, ajo, nuez moscada y aceite. Puede incorporarse unas tiras de pimiento morrón y tomate.

La **ensalada china** se prepara cocinando al vapor pescado libre de espinas y piel. Se le mezcla con apio, cebollinos, soja germinada y algunas almendras peladas, todo bien triturado. Se mezcla todo con salsa de soja y se cuece muy ligeramente.

La **ensalada margarita** se hace cociendo coliflor, patatas y remolacha, cortándolas en trocitos a continuación y triturándolo todo en batidora junto a unos huevos duros y algo de salsa.

Una **ensalada de endibias** se hace preparando un diente de ajo con sal y el queso elegido. Se mezcla con las endibias partidas por la mitad y se añade aceite de oliva y zumo de limón. Se espolvorea con trocitos de nuez.

Escalfar *es cocer justo hasta que llegue al punto de ebullición*

Cocer al vapor *supone poner una celdilla entre el alimento y el agua de cocción.*

Asar a la parrilla *consiste en poner fuego debajo, mientras que la parrilla está untada en aceite.*

Hornear *es meter en el horno*

Freír, *habitualmente se hace en sartén, siendo lo más importante la temperatura del aceite, puesto que si está fría el pescado se desmenuza y si demasiado caliente no se fríe por dentro.*

Postres

Un postre delicioso a base de **cerezas**, piña, manzana, naranja y fresas, todo troceado y rociado con zumo de naranja y miel o fructosa.

Se cuecen en olla a presión unos **plátanos** con su piel. Después se les quita la piel, se cortan y se les agrega una mezcla rehogada de cebolla, pollo y aceite, metiéndolo todo en el horno.

Se cuece en agua **arroz** con semillas de anís y ralladura de limón. En la mitad de la cocción se añade miel y uvas pasas con leche. Para finalizar se pone en un molde con un poco de aceite, introduciéndolo en el horno cinco minutos.

Se cuece **sémola de maíz** con algo de anís estrellado y cuando esté algo blanda se añaden dátiles, higos y uvas pasas, hasta que todo quede bien blando. Se pone en un molde y se sirve frío.

Con una **calabaza** rallada se puede preparar un postre mezclándola con dátiles sin hueso, nueces troceadas, miel, aceite de maíz y ralladura de limón, todo bien mezclado y convertido en pasta. Se pone al horno durante tres cuartos de hora.

El postre de **manzana** se hace con manzanas reinetas cortadas en rodajas y rociadas con zumo de limón. Se ponen en una fuente con mantequilla, se espolvorean con azúcar moreno y se meten al homo. Se incorporan ralladuras de limón, migas de pan integral duro y se cuece al horno durante media hora.

El postre de **pan** se hace con rebanadas de pan integral remojado en leche para ablandarlo. Se añaden frutas frescas, mantequilla y ralladura de cáscara de naranja y limón. Después manzana rallada y se pone todo en un molde con mantequilla en los bordes, metiéndolo en el horno durante una hora.

Platos al horno

Se rallan **zanahorias** *y* nabos y se cortan palitos de apio e hinojo, colocándolos en una bandeja con un poco de agua. Se mete al horno y antes de sacarlo se espolvorea con algo de queso rallado y se gratina.

Se parten **patatas** bien grandes por la mitad y aparte se prepara un aliño machacando en un mortero ajo, perejil y algo de aceite, con el cual se bañan las patatas, y se hornea. Se puede añadir salsa de tomate.

Se parten varios trozos de **pan** integral y encima se pone un huevo crudo con unos pocos champiñones, pimientos verdes y quizá pimentón. Se mete en el homo y se saca cuando el huevo esté cocido.

Hay que partir por la mitad unas **berenjenas** *y* vaciarlas parcialmente. En ese hueco se ponen tomates partidos por la mitad, aceitunas negras y algunas hierbas aromáticas. Encima se pone una loncha de queso y se hornea.

Se pican varias **alcachofas** *y* puerros, metiéndolo en el horno con algo de agua y queso rallado.

Hay que hervir un poco de **arroz** en agua y sal marina. Se prepara un puré de tomates y con unos guisantes se mete en el horno. Una vez cocido, se mezclan con el arroz y un poco de orégano, metiendo todo en el homo con una clara de huevo.

En una bandeja se ponen **patatas** cortadas en ruedas, judías verdes, calabacín, zanahoria, pimiento rojo y un chorro de aceite, así como tomates rallados. Cuando esté cocido, se espolvorea con un huevo duro bien rallado.

Se cortan en tiras **pimientos rojos** *y* patatas a cuadritos, añadiendo ajos machacados y algo de aceite. Antes de sacarlo se ponen huevos bien batidos hasta que todo esté bien hecho.

Como postre, se vacían varias **manzanas** *y* se dentro se le pone almendras molidas, dátiles y algo de margarina y canela. Se sacan cuando estén blandas.

MENÚS ADELGAZANTES PARA UN DÍA COMPLETO

La siguiente relación es para aquellas personas que quieren estar seguras de que lo que comen durante toda una jornada no les va a hacer engordar. Estos menús, además de ser adelgazantes, debemos considerarlos saludables.

Los menús adelgazantes se deben complementar con infusión de hierbas como Fucus, Malva, Té Sinnensis y Ortosifón.

Desayuno: Frutas.

Comida: Ensalada, garbanzos con berza, infusión de hierbas.

Cena: Ensalada de apio, espinacas con bonito.

Desayuno: Copos de avena con leche.

Comida: Ensalada variada, coles de Bruselas con avellanas.

Cena: Frutas y natillas naturales.

Desayuno: Infusión de ginseng.

Comida: Ensalada mixta, copos de avena, pastel integral.

Cena: Caldo vegetal, queso fresco con pan integral.

Desayuno: Leche de almendras, pan integral tostado con margarina.

Comida: Ensalada, patatas hervidas con acelgas, queso fresco.

Cena: Germinados de soja, pastel integral.

Desayuno: Muesli con cerezas.

Comida: Espárragos con mayonesa, almendras, ensalada.

Cena: Puerros con huevos duros.

Desayuno: Fruta del tiempo, bollos integrales.

Comida: Alcachofas rellenas, espinacas con besamel, peras con almíbar.

Cena: ensalada con huevo, verduras al vapor.

Desayuno: Fruta del tiempo.

Comida: Queso fresco con tomate, puré de patatas, almendras.

Cena: Fruta y arroz con leche.

Desayuno: Fruta.

Comida: Gazpacho, empanadillas de bonito.

Cena: Ensalada y berenjenas fritas.

Desayuno: Muesli con leche.

Comida: Arroz blanco con tomate, ensalada y dulce integral.

Cena: Ensalada variada y tortilla de espárragos.

Desayuno: Yogur con frutos secos.

Comida: Paella valenciana sin carne.

Cena: tortas de arroz e higos secos.

Desayuno: Muesli con frutas frescas.

Comida: Ensalada de col fresca cocida, espinacas a la crema, frutos secos.

Cena: Sopa de copos de avena, yogur con miel.

Desayuno: Infusión de ginseng, jalea real.

Comida: Macarrones con tomate, manzanas asadas.

Cena: Puré de patatas y fruta.

Desayuno: Pan integral con miel, infusión de hierbas.

Comida: Sopa vegetal, tortilla de patatas, fruta.

Cena: ensalada de apio y tomate, dulce integral.

Desayuno: Galletas integrales con leche.

Comida: Caldo vegetal, alcachofas rellenas, compota de manzana.

Cena: Sopa de avena, huevos pasados por agua.

Desayuno: Fruta del tiempo.

Comida: Ensalada variada, guisantes con alcachofas, queso fresco con pan.

Cena: Puré de patatas, fruta del tiempo.

Desayuno: Pan integral con miel, yogur.

Comida: Ensalada variada, arroz con verduras, queso.

Cena: Verduras salteadas, dulce integral.

MENÚS BAJOS EN CALORÍAS

- Se corta pan para canapés, se cubren con un poco de tomate y se adornan con anchoas (*40 calorías.)* También se puede poner una rodaja de tomate crudo y otra de huevo duro, así como untar el pan con queso fresco y poner un pepinillo.

- Sin sobrepasar las *20 calorías* por unidad tenemos: un gajo de tomate con una anchoa; un gajo de tomate con un trozo de queso, un pincho de remolacha con un pepinillo o uno de jamón york con pepinillo y pimiento.

- Una ciruela pasa con un trocito de jamón york y queso fresco son *45 calorías.* Un gajo de manzana con zumo de limón y una anchoa, *40 calorías;* mientras que un gajo de naranja con un trozo de queso fresco son apenas *15 calorías.*

- La crema de **puerros,** con apenas *130 calorías,* se prepara cociendo las patatas y los puerros, triturándolo bien y añadiendo sal y nata líquida.

- El tradicional **gazpacho***,* con guarnición incluida, proporciona *150 calorías y* se hace triturando en batidora tomates, pepinos, pimientos, pan, aceite y vinagre, añadiendo la sal y las especias al gusto.

- El **caldo de gallina***,* sin añadir nada sólido, se hace poniendo en agua fría la carne de gallina, algún hueso, cebolla, zanahorias y perejil, y se deja cocer lentamente. Si tenemos la precaución de retirar con una espátula la grasa que queda arriba y cualquier resto de los ingredientes, las calorías apenas serán de *diez* por taza.

- Una **sopa de pescado** que tenga 170 *calorías* se hace poniendo a cocer en mucha agua cebolla, zanahorias, perejil, laurel, espinas de pescado y alguna hierba. Después se añaden mejillones ya cocidos, ajo picado, puerros en rodajas y trozos de pescado.

- Sin pasar de las 30 *calorías,* se puede hacer una *sopa de verduras* cociendo puerros, lechuga, espinacas, judías verdes, todas troceadas, añadiendo después la sal.

- Una **ensalada** de *50 calorías* se hace troceando una lechuga, rallando zanahorias, cortando en rodajas manzana y pepino, y juntándolo todo con algo de lombarda. Se prepara un aliño al gusto y se deja macerar una hora.

- El **repollo** cocido y picado se mezcla con cebollas picadas doradas en mantequilla y una pizca de azúcar. Después se añade sal, vinagre, aceite y cominos, proporcionando cada plato *160 calorías.*

- Unos **calabacines** pelados y cortados, más una salsa de leche, nata, queso, sal y pimienta triturados, dan solamente 180 *calorías.*

- La **coliflor** cocida, más una salsa a base de pepinillos, aceitunas, pimiento, clara de huevo, anchoas, tomates, yogur, aceite y sal, apenas dan 190 *calorías.*

- La clásica ensalada de **tomate** proporciona *180 calorías.* Hay que mezclarlos con patatas cocidas, zanahorias ralladas y un aliño al gusto.

- Otra ensalada algo más calórica, *250 calorías,* se hace con **endibias**, zanahorias ralladas, champiñones cocidos, queso azul y algo de zumo de limón, aceite, sal y pimienta.

- Si le gustan los **pimientos rellenos** *y* unas calorías totales de *150,* prepare un puré de patatas y lo mezcla con merluza, gambas y sal, poniéndolo dentro de los pimientos que habrá que dorarlos por fuera con aceite. Se añade vino blanco y se cuecen en el homo.

- Los **puerros** en salsa dan 170 *calorías y* se hacen cociéndolos previamente. Después se doran unos ajos, se añade harina y almendras picadas, y se cuece todo condimentándolo a gusto. Esa salsa será la que cubra los puerros.

- Solamente *200 calorías* le proporcionarán las **judías verdes** cocidas en agua. Para completarlas se asan pimientos rojos, se cortan y se añaden a las judías, más una salsa con ajos, sal y perejil.

- Las **acelgas** también tienen fama de no engordar y un plato de *150 calorías* se logra cociéndola en agua con sal y limón, y añadiendo una salsa a base de cebolla picada y refrita, perejil, zanahoria, vino blanco y algunos berberechos de lata.

- Unos **brotes de soja** que podemos germinar nosotros mismos, mezclados con berros en remojo, zanahoria y un pequeño aliño, dan *120 calorías.*

- Los **huevos** con revuelto de espárragos y espinacas proporcionan *160 calorías.* Se preparan a la plancha y se añade una guarnición con cebolla, espinacas y espárragos.

- Si preferimos un plato muy completo pero de solamente *190 calorías,* se prepara **arroz seco** cocido en agua y zumo de limón. Aparte cogeremos tomates, orégano, perejil, ajos picados y un par de huevos por persona, que pondremos encima del arroz.

- El pescado es muy pobre en calorías y un plato de **lenguado** tendrá 190 *calorías, si lo* mezclamos con puerros, pimienta, mejillones, laurel, pimienta y sal.

- Las **gambas** también son muy pobres en calorías y el clásico cóctel es de 75 *calorías* por persona. Se cuecen las gambas en agua, se pica la lechuga, el rape se escalda con sal y laurel, añadiendo también apio, zumo de limón y un poco de manzana.

- Si nos gusta la **merluza** conseguiremos un plato de *200 calorías si* picamos zanahorias y cebolla, algo de coñac, laurel y salsa de tomate, la cual añadiremos a la merluza cocida con sal y limón.

- Si le gusta la carne de **pollo** *y* no quiere engordar, cueza la carne en una olla con cebolla, sal, pimienta, ajo y algo de cerveza. Tendrá un plato de *200 calorías.*

- Otro plato de apenas 80 *calorías* se logra con **huevos** cocidos, espárragos, alcachofas y algo de jamón york, además de una salsa de aceite, leche y sal.

- No crea que los **postres** engordan todos, ya que el propuesto ahora solamente aporta *180 calorías.* Haga una masa con harina y leche, añada huevos batidos y fríalos en una sartén en lonchas. El relleno se hace con manzanas, azúcar, zumo de naranja y ralladura de la cáscara.

- Menos calórico todavía, *120 calorías,* es el postre con **albaricoques** que se ponen en un recipiente cubiertos de agua y azúcar. Se calientan al fuego para que se forme el almíbar y se añade algo de nata.

RECOMENDACIONES CULINARIAS

Aceitunas

Si disponemos de aceitunas verdes, para quitarles el amargor hay que ponerlas en remojo en agua fría durante dos semanas. Después se ponen en un recipiente de cristal y se cubre de agua, sal y tomillo o cualquier otra hierba que nos guste. Se dejan por lo menos dos semanas antes de consumirlas.

Las aceitunas partidas se preparan machacándolas con un golpe seco y poniéndolas en remojo durante una semana, cambiando el agua con frecuencia. El último día se meten en un recipiente de cristal con una mezcla de hierbas y medio limón. Se llena con agua salada y se deja macerar dos semanas más.

Las aceitunas negras hay que ponerlas cuando están maduras en un lugar seco y después se ponen en un recipiente con algo de aceite en capas, espolvoreando cada capa con sal y limón. Se dejan reposar una semana, se añade sal y aceite y se mantienen así otros siete días antes de consumirlas.

Acelgas

Hay que lavarlas cuidadosamente en agua hirviendo con sal, y se pueden emplear tanto las hojas como los tallos.

Si empleamos éstos hay que quitarles la fibra superficial y cortarlos en trozos. Para que no se ennegrezcan se ponen unas gotas de zumo de limón.

Ajos

Para mitigar el fuerte olor hay que emplear abundante perejil.

Alcachofas

Hay que elegir aquellas alcachofas que tengan las hojas apretadas, sin manchas negras y consumirlas enseguida, ya que en caso contrario es recomendable sumergir sus tallos en agua hasta que las vayamos a consumir.

Afalfa

El germinado de sus semillas es la forma más adecuada de comerla y la más nutritiva de todas. Se ponen las semillas en un plato y se sumergen en agua durante una hora, en lugar oscuro. Esa agua se cambia continuamente durante 24 horas, se escurren y entonces se ponen en un lugar muy cálido, pero totalmente tapadas sin que les dé el sol ni el aire. Cuando están germinadas lo mejor es comerlas en forma de ensalada con aceite y vinagre.

Apio

Se pueden comer crudos en ensalada, en zumo exprimiéndolos o cocidos para sopas o guarnición. En cualquier caso es conveniente quitarles algo de fibra de sus tallos.

El zumo de apio constituye una manera extraordinaria para aprovechar sus cualidades medicinales y para ello basta someterlo a la trituración de una licuadora. En este caso emplearemos más tallo que hojas, ya que el sabor de estas es muy fuerte, mezclándolos con zanahoria, limón y algo de manzana.

Berenjenas

De sabor pobre, necesita una preparación especial para que sea un plato agradable, lo que se puede lograr haciéndola frita, asada o rellena. La podemos comer con o sin piel, aunque en ambos casos es interesante una vez cortada macerarla previamente en agua con sal y vinagre. Cuando las vayamos a cocinar las escurriremos bien presionándola.

Calabacines

Es mejor comerlos con piel y si queremos cocinarlos fritos es conveniente cortarlos por la mitad y ponerlos en maceración con suficiente sal que sacará el agua hacia fuera.

Castañas

Con la harina se prepara un alimento regional muy tradicional llamado "Polenta", mezclado con harina de maíz, el cual tiene fama de nutritivo y energético. Si las vamos a cocinar en casa hay que elegir aquellas de piel lisa y brillante. Para mondarlas se practica un pequeño corte circular, se sumergen en agua fría que se hervirá durante tres minutos y se irá quitando la piel procurando que no se enfríen.

Cebolla

Si deseamos comerla cruda en ensalada es conveniente ponerla en remojo en agua durante media hora, ya que es algo indigesta. Admite cualquier preparación culinaria, rellena, frita, estofada, sola o mezclada con una gran variedad de alimentos. Cuando las pelemos es conveniente hacerlo debajo del chorro del grifo o escaldarlas antes con agua caliente.

Champiñones

Antes de cocerlos hay que lavarlos bien con agua con limón, e incluso quitarles la fina piel que les recubre.

Col

Para evitar el fuerte olor cuando la cocinamos se recomienda poner un trozo de miga grande en el momento de cocinarla. Muy importante: no la cueza nunca demasiado; la estropeará.

La col fermentada es una forma muy saludable de ingerirla y en el comercio existen muchas marcas que la traen ya elaborada y lista para comer.

La Lombarda es un tipo de col roja que se come casi exclusivamente en ensalada y si añadimos zumo de limón evitaremos que pierda el color característico.

Ambas, hay que comerlas bien frescas.

Coliflor

Cuando la compremos hay que separar las cabezuelas y practicar dos incisiones en la base, siendo recomendable pelar los tallos ya que tienen una piel muy dura. Después se lavan profundamente para quitar los posibles bichitos, aunque hay quien lo hace sumergiéndola previamente en agua con un chorro de vinagre.

Endibias

Si las consideramos amargas será conveniente comerlas cocidas, pero así le quitamos la mayoría de sus propiedades terapéuticas. Nunca las deje en remojo porque se deterioran rápidamente.

Espárragos

Primeramente hay que pelarlos para eliminar la parte más dura y se van colocando en agua fría para atarlos en manojos de igual longitud. Después se cuecen en agua salada con algo de limón durante 25 minutos, procurando no sobrepasar nunca el tiempo de hervido ya que si no se estropean.

Espinacas

Es una de las pocas verduras de las que no se puede aprovechar el caldo de su cocción ya que desprenden ácido oxálico, lo que puede dar lugar a la formación de arenillas en los riñones.

Cuando las compremos no hay que desechar los tallos más verdes si están rígidos, ya que son muy nutritivos.

Se cuecen durante diez minutos en una cacerola descubierta, se escurren bien después en agua fría y se preparan inmediatamente para que no pierdan su gusto característico.

Fresas

Hay que lavarlas con agua repetidas veces, mejor utilizando el escurridor de verduras. No obstante, aunque la salubridad queda así asegurada, pierden parte de su sabor.

Garbanzos

Se ponen en remojo tres días antes para que comience la germinación y con ello sus propiedades nutritivas. Si no es posible, se pondrán en agua caliente con un poco de sal dos horas antes de cocinarlos.

Guisantes

Una vez comprados verdes hay que sacarles el grano y cocerlos rápidamente ya que se oxidan con facilidad.

Habas

No hay que confundir con las habichuelas o judías secas. Al igual que las demás legumbres hay que ponerlas en remojo la noche antes, mejor en agua caliente, aunque hay personas que las comen crudas cuando están verdes y tiernas.

Judías verdes

Primero hay que quitarles el filamento lateral, lavarlas bien (mejor partidas) con agua caliente y ponerlas en la cazuela de agua hirviendo. El hervido se hace sin tapa y durante quince minutos.

Lentejas

Se limpian previamente para eliminar las pequeñas piedrecitas y arenilla y se ponen a remojo durante 8 horas. Después se incorporan a la cazuela con agua fría, se interrumpe el hervido tres veces para añadirle un chorrito de agua fría y se mantiene así a fuego lento.

Para los estómagos delicados o en niños lo mejor es en puré o tomadas al día siguiente de cocinadas.

Melón

Hay que servirlo frío, con las esquinas seccionadas y cortado en grandes trozos. En algunos países es costumbre comerlo de primer plato, no como postre, acompañado por jamón.

En el supuesto de que no vayamos a comerlo entero lo guardaremos el resto boca abajo, con sus pepitas, en el frigorífico.

Pastas

Hay que cocerlas metiéndolas en agua hirviendo, con sal marina y un poco de aceite, moviéndolas de vez en cuando para evitar que se apelmace. El tiempo de cocción medio es de 8 minutos y una vez finalizado no hay que dejarlas en el agua caliente. Se meten bajo un chorro de agua fría y para que no pierdan la consistencia ideal hay que servirlas pronto.

Patatas

Aunque se puede comer cruda e incluso su zumo es muy saludable, lo mejor es comerlas hervidas al vapor (sin quitar la piel) o cocidas, aunque la modalidad de fritas goza de la misma aceptación.

Las patatas deben tener la piel amarilla, lisa y dura, sin ningún tipo de brote (son tóxicos por la presencia en ellos de solanina.) Hay que mantenerlas a no más de 8º, en lugar ligeramente húmedo, en la oscuridad y en sitio alto.

Para hervirlas con agua deberemos lavarlas previamente y ponerlas con su piel en agua salada hirviendo. Una vez tiernas se frotan debajo del agua del grifo para quitarlas la piel y se colocarán en un lugar seco hasta que las vayamos a utilizar.

Pepino

Es prudente colocarlos el día antes en una servilleta, previamente cortados en rodajas y sazonados, aplastándolos con una madera para que expulsen el agua.

Pimientos

Para comerlos en crudo se cortan en anillas y se rocían con aceite y limón con algo de sal, dejándolos macerar al menos media hora.

Los pimientos verdes fritos se fríen en abundante aceite y los colorados se asan al horno con bastante aceite y se les deja enfriar para quitarles después la piel quemada. Luego se les corta en tiras, se quitan las semillas, se lavan y se les adereza.

Los pimientos mejicanos, esa variedad tan picante que entusiasma a los aficionados, se hace con pimientos verdes pequeños, previamente vaciados de pepitas.

Zanahorias

Es conveniente emplear zanahorias sin pelar, ya que en la cáscara se encuentran la mayor cantidad de sus vitaminas, pero es necesario rallarlas un poco y lavarlas para quitar la tierra que suelen tener. Crudas son mucho más dulces que cocidas y se pueden tomar sin más mezclas.

TEMA 19

CUESTIONES FINALES

¿Es saludable cocinar en el microondas?

Este utensilio aparentemente moderno fue inventado en 1945 y en su interior los alimentos no se calientan por contacto directo con una fuente de calor, sino por la estimulación a distancia de la frotación de sus partículas. Lo que en realidad hacen es producir una vibración en las moléculas del alimento y este roce es el que genera el calor que cocinará la comida.

Salvo las posibles fugas al exterior, no parece que su acción interna sea perjudicial para los alimentos, aunque el sabor es diferente a otros métodos tradicionales de cocción.

<u>El microondas es adecuado para secar las plantas medicinales que cojas en el campo o de tus macetas. Se colocan entre dos hojas de papel absorbente sin imprimir.</u>

Estos son los recipientes que se pueden emplear para el microondas:

Vidrio templado, *adecuado para resistir el calor. No obstante, si solamente se va a calentar un alimento, un vaso de café, por ejemplo, se puede utilizar cualquier tipo de cristal.*

Porcelana, *evitando aquella que tenga adornos pintados.*

Cerámica, *es refractaria al calor por lo que retrasa mucho el cocinado.*

Plástico, *hay ya recipientes de plástico adecuados para microondas y papel transparente también resistente al calor. No emplee un plástico normal porque puede que se funda con el alimento.*

Cartón, *asegúrese que resiste el calor y que no esté barnizado con parafina o lleve grasa.*

No meta huevos enteros, ni líquidos con alcohol. Tampoco es adecuado para hacer pizzas, pan o merengues, aunque puede meterlos para calentarlos una vez cocidos. No añada sal en el momento del cocinado a los guisos de carne o pescado, puesto que esto los seca demasiado.

En la cocción con microondas se emplean menos agua de la habitual puesto que no se evapora.

¿Es cierto que las mazorcas de maíz poseen propiedades medicinales?

Las barbas o estigmas que habitualmente se desprecian, tienen interesantes propiedades como diuréticos.

¿Qué otros cereales se pueden consumir habitualmente?

Cualquier cereal es apto para proporcionar una comida energética y saludable.

Con el ***mijo*** *se preparan sopas que servirán para mejorar la calidad del pelo y uñas.*

Los copos de ***avena*** *constituyen un alimento esencial para estómagos delicados, para ulcerosos o aplacar gastritis. También es ligeramente laxante.*

Con la harina de ***cebada*** *se pueden espesar las salsas de los guisos que les darán un ligero sabor a nueces.*

La harina de ***centeno*** *es adecuada para hacer pan casero.*

La ***polenta*** *o el* ***gofio canario*** *son también deliciosos purés o cremas. Se encuentran listos para cocinar.*

¿Son buenas las ciruelas para el estreñimiento?

Son tan eficaces como inofensivas. Para un mejor efecto hay que ponerlas por la noche en remojo con una infusión de malva o frángula. Se toma por la mañana en ayunas.

¿Cómo evitar que las peras y manzanas cortadas se oxiden rápidamente?

Para evitar esta acción del aire es bueno pincelarlas con zumo de limón o de naranja.

¿Se pueden comer las almendras de las frutas?

La mayoría no son comestibles, aunque las del albaricoque se pueden comer. Contienen abundancia de ácido pangámico, vitamina B-15, y dicen que es rejuvenecedora.

¿Hay que eliminar la pulpa blanca de los cítricos?

No, pues en la pulpa hay también gran cantidad de vitaminas. Además, su presencia ayuda a digerir bien la fruta.

Nunca hay que retirar la pulpa de los cítricos cuando hagamos zumo, pues se absorberá mucho mejor.

¿Se puede comer la cáscara de las frutas?

La mayoría admite esta posibilidad, pero no hay que olvidar lavarlas adecuadamente.

La cáscara de la naranja y el limón poseen excelentes propiedades medicinales para problemas circulatorios.

Estas son algunas propiedades terapéuticas de las frutas menos empleadas

*Los **dátiles** son energéticos, nutritivos y afrodisíacos.*

*El **kiwi** tiene mucha vitamina C y se come cuando aún está crudo con una cuchara.*

*Los **higos** son nutritivos, energéticos, laxantes y fluidificantes de la mucosidad bronquial.*

*El **maracuyá** parece ser que tiene propiedades afrodisiacas.*

***El níspero** se come crudo y tiene sabor dulce.*

*El **caqui** se debe comer bien maduro.*

*El **tamarindo** es algo amargo, aunque da un toque exótico a las ensaladas.*

*La **papaya** se utiliza en ensaladas una vez extraídas las pepitas. Contiene enzimas que facilitan la digestión.*

*La **granada** se emplea para dulces y helados. Hay que eliminar la médula y las membranas.*

No se debe mezclar leche con kiwi, piña o mango.

¿Son un alimento completo los frutos secos?

Son más nutritivos y saludables que las carnes en general. La única recomendación es masticarlos largamente.

Los pistachos contienen gran cantidad de grasas saturadas.

Recuerde también que:

*Las **castañas** crudas son muy indigestas.*

*Las **nueces** son un extraordinario alimento para el cerebro y si cocemos la telilla que se encuentra en su interior tendremos un corazón fuerte.*

*Los **cacahuetes** son muy adecuados para los meses de invierno. Proporcionan calor interno y mucha energía. Para almacenarlos debes hacerlo fuera del calor, la luz y la humedad. También los puedes conservar durante 6 meses en nevera y en el congelador durante un año.*

¿Es más sano un huevo crudo que uno cocinado?

El huevo crudo se asimila muy mal, especialmente la clara. Además, contiene una enzima llamado avidina que ocasiona desequilibrios vitamínicos.

¿Alimenta más la clara o la yema?

La yema es más completa en nutrientes, también en grasas saturadas, pero la clara aporta proteínas de gran calidad siempre que se someta a la acción del calor.

¿Hay alguna forma de evitar los gases intestinales cuando se comen legumbres?

Es recomendable emplear cominos que deberás añadir al final de la cocción. También se toleran mejor si se comen después de haberlas dejado unas horas en reposo.

¿Son tóxicas las habas?

Por prudencia no se aconseja comer habas que no estén cocidas, la única manera de neutralizar un veneno que poseen en ocasiones.

¿Engorda el pan?

Lo que engorda es lo que se le añade, sean salsas o embutidos. El pan integral es uno de los alimentos más saludables y nutritivos.

¿Engorda la pasta?

En absoluto. Lo que engorda es lo que se añade a la pasta, especialmente el queso, la carne picada o el chorizo. Las pastas son muy nutritivas, energéticas y aunque proporcionan calorías se pueden quemar con suma facilidad.

¿Por qué se recomienda cocer las patatas con su piel?

Las patatas son muy ricas en vitamina C, pero se encuentra esencialmente debajo de la piel. Si se cuecen con ella se conservará la mayor cantidad de vitamina.

¿Se pueden conservar las zanahorias una vez peladas?

Simplemente metiéndolas en agua helada.

Los brotes de soja y de alfalfa proporcionan ensaladas exquisitas y saludables.

¿Existe una técnica adecuada para incorporar hierbas aromáticas a los guisos?

En general, el calor no es su mejor aliado. La menta y la albahaca hay que añadirlas al final de la cocción, mientras que el tomillo y el romero solamente soportan el calor moderado.

El uso habitual de hierbas medicinales en las comidas las hace más digestivas y podemos aprovechar sus propiedades medicinales.

¿Toda la alcachofa es comestible?

Se puede comer en su totalidad, incluido parte del tallo. Las hojas son más nutritivas cuanto más verdes sean, aunque al ser más duras requieren más tiempo de cocción.

¿Hay hortalizas que también se pueden comer, aunque no sea habitual?

*El **diente de león** es una verdura ligeramente amarga y muy nutritiva que se come en ensalada, lo mismo que la **achicoria**. También son sabrosas y muy saludables la **acedera**, y el **cardo**, mientras que recomendamos incluir en las ensaladas el **apio** verde crudo*

RESUMEN

Un alimento debe nutrir, no causar daño con su consumo, y ser capaz de mejorar la salud.

Se consumen más calorías en situaciones de estrés que en momentos de relax.

Desde que un alimento es recogido en el campo hasta que llega a nuestra boca, tiene que pasar por una gran cantidad de procesos y circunstancias que le hacen ser presa fácil para la contaminación.

La mayoría de las frutas y verduras se conservan mejor si no se las trocea.

Los alimentos hay que lavarlos enteros, pues una vez cortados pierden parte de los nutrientes.

El uso racional de las especias proporciona a los alimentos aroma y sabor, además de digestibilidad y posibilidades terapéuticas.

La mayoría de las bebidas de uso habitual poseen interesantes virtudes para mejorar la salud.

EJERCICIOS DE AUTOEVALUACIÓN

1. ¿Los niños deben comer lo mismo que los mayores? Sí NO
2. ¿Puede emplearse un alimento para mejorar la salud? SÍ NO
3. ¿Una persona muy delgada es una anoréxica? SÍ NO
4. ¿Se puede congelar la leche? SÍ NO
5. ¿Se puede guardar la mayonesa para consumirla horas después? SÍ NO
6. ¿Sirve cualquier manzana para elaborar sidra? SÍ NO
7. ¿Los calabacines proporcionan muchas calorías? SÍ NO
8. ¿Se pueden germinar los granos de soja en casa? SÍ NO
9. ¿Hay que lavar intensamente las endibias? SÍ NO
10. ¿Es peligroso para la salud cocinar con microondas? SÍ NO

10.1. RESPUESTAS A LOS EJERCICIOS DE

AUTOEVALUACIÓN

1.

2. NO, la dieta no debe ser igual a la de los mayores, ingiriendo con preferencia cereales, frutas y verduras.
3. SÍ, cualquier enfermedad debería tratarse también con una dieta adecuada.
4. NO, la anorexia es una enfermedad que se puede dar incluso en personas obesas, aunque la consecuencia final es la delgadez.
5. NO
6. NO, ni siquiera en frigorífico. Hay que consumirla en el momento.
7. No, solamente aquellas que proporcionan un mosto muy ácido.
8. NO
9. SÍ, y con ello aumentan los nutrientes.
10. NO, ni mucho menos ponerlas en remojo
11. NO, siempre que mantengamos la puerta bien cerrada

EXAMEN

1. Explica los daños para la salud de un exceso de alimentos

2. Ahora menciona algunas de las enfermedades de la desnutrición

3. ¿Por qué la ingesta de calorías nunca debe ser inferior a nuestros requerimientos basales?

4. ¿En qué tipo de comida emplearías albahaca?

5. ¿Por qué es recomendable cocer al vapor?

6. ¿Son necesarias las grasas en el cocinado?

7. ¿En qué alimentos emplearías comino como especia?

8. ¿Por cuál bebida podrías sustituir el café?

9. ¿Qué virtudes tiene la dieta de uvas?

10. Alimentos ricos en ácido úrico

TEMA 20

LAS INCOMPATIBILIDADES ALIMENTARIAS

La sabiduría popular desde siempre ha sabido mezclar adecuadamente los alimentos y cuanto más primitivo es un pueblo con mejor acierto realiza sus mezclas en la alimentación. Solamente la entrada de una "ciencia" llamada gastronomía, en la cual lo más importante es el sabor y el aspecto externo de los alimentos, ha motivado que las gentes occidentales modernas no sepan ya con certeza qué es lo bueno y lo malo.

Muchos de los trastornos digestivos tienen su origen en una desacertada mezcla de los alimentos.

De todos es sabido que la digestión comienza en la boca y que los dientes desgarrando, triturando y desmenuzando los alimentos los dejan en condiciones idóneas para que los jugos gástricos realicen su misión, no sin antes haberse mezclado con la saliva. Este líquido aparentemente estéril contiene un fermento llamado **ptialina salivar** que se encarga de mejorar la digestión de los hidratos de carbono, pero solamente si no hay presencia de ácidos al mismo tiempo.

Mezclar, por tanto, **carbohidratos con ácidos** daría lugar a que no se realizara una digestión completa de los polisacáridos, ocasionando que los alimentos pasen al intestino delgado prácticamente sin modificarse. La mayor temperatura del intestino delgado, a lo que habría que sumar la gran humedad, da lugar a fenómenos de fermentación y la secuela de gases, aerofagia y eructos. Por si esto fuera poco, la energía que los hidratos de carbono proporcionan no se da lugar, ya que al ser su combustión incompleta se pierden parte de las calorías utilizables.

Los hidratos de carbono deben mezclarse perfectamente con la saliva

Al contrario que en el grupo de alimentos anteriores, las proteínas se digieren mejor en un medio ácido, ya que el fermento que las digiere, la **pepsina**, necesita un medio así para actuar.

Sin embargo, mezclar en la misma comida, y mucho más si lo hacemos en el mismo plato (como por ejemplo, patatas con carne), **hidratos de carbono con proteínas** darán lugar a una digestión lenta. Si al final tomamos, por ejemplo, queso y un zumo de naranja, el problema se agravará.

Otros platos típicos de dudosa compatibilidad son la fabada asturiana y los espaguetis con chorizo.

PROCESOS NATURALES

La mayoría de las frutas antes de madurar son ácidas, y una vez que se realiza su proceso de maduración se caramelizan, como es el caso de los plátanos, las manzanas, las uvas o los melones. Si la maduración no se detiene su conversión en glucosa es aún mayor y amplias zonas toman un color marrón, lo cual, sin ser perjudicial para la salud, motiva que las personas desechen la fruta.

Los frutos secos al madurar acumulan sustancias muy ricas en aceites, pudiendo dar lugar a fermentaciones alcohólicas al mezclarse con azúcar.

Los niños no deberían consumir mezclas de aceites con cítricos

Tampoco se deben mezclar **cítricos** con productos de pastelería, ni con alimentos feculentos, pues ello provoca un vaciamiento de los intestinos muy lento y retardado, ya que la acidez impide la transformación de las **féculas en azúcares.**

Las **frutas ácidas**, así mismo, tampoco se pueden mezclar con las dulces (ojo, pues, con las macedonias), ya que su conversión en glucosa se realiza muy mal, pudiendo dar lugar a productos tóxicos en la metabolización.

Una combinación altamente nociva sería mezclarlas con féculas o almidones, como sería el caso de tomarlas con pan, galletas, cereales, patatas, etc, aunque ya nuestro sentido común parece que nos hace rechazar estas mezclas y nos empuja a mezclarlas con miel, requesón, queso fresco, yema de huevo e incluso nata.

Las **frutas dulces**, como las peras, melocotones, uvas, etc., combinan muy bien con los cereales, las féculas, el yogur, los plátanos y la miel, pero bastante mal con las verduras, pudiendo dar lugar a fenómenos serios de intolerancia y putrefacciones que podrían volver loco a más de un médico en su intento de averiguar el porqué de los males digestivos de su paciente.

El motivo está en que las sales minerales de las verduras no se fusionan con las de las frutas, lo que ocasiona una detención en la digestión, provocando un estancamiento que por fuerza tiene que generar fermentaciones y la secuela de síntomas, tales como: dolores de cabeza, gases, mala circulación en las piernas o las manos, colitis y enterocolitis, cansancio agudo después de comer, e incluso degenerar en úlceras, apendicitis u otros trastornos más serios si cabe.

El limón puede ser compatible con las verduras.

Una curiosidad de interés es el consumo de frutas **pasas** (uvas, dátiles, ciruelas o higos) con la falta de ejercicio, ya que su azúcar concentrado necesita quemarse y, si la persona reposa en lugar de moverse, se produce óxido de carbono que intoxica el sistema neuromuscular. Tampoco hay que mezclarlas con leche o aceites.

La miel combina mal con la mantequilla, los plátanos con los frutos secos, las mermeladas con la mantequilla y la horchata con los dulces.

Le **leche** combina moderadamente con casi todos los alimentos, así como la yema de huevo, los aceites, tomates y uvas dulces.

La **cerveza** solamente con las féculas, y los **vinos** secos con las proteínas.

El whisky y la ginebra con las féculas y proteínas, y el **jugo de tomate** embotellado con las proteínas.

Como recomendación final, hay que advertir que las incompatibilidades alimentarias aquí descritas no son absolutas, pues muchas personas llevan años realizando mezclas aparentemente erróneas sin acusar ningún trastorno aparente.

Lo que se recomienda es tener un cuidado especial con los enfermos, especialmente con aquellos que acusen problemas digestivos o tengan patologías en hígado, vesícula biliar o páncreas.

EJERCICIOS DE AUTOEVALUACIÓN

1. ¿Una dieta puede proporcionar, simultáneamente, salud y placer? SÍ NO

2. ¿Los alimentos crudos son siempre recomendables? SÍ NO

3. ¿El secreto de una buena dieta es suprimir los hidratos de carbono? SÍ NO

4. ¿La dieta más saludable es consumir pocas calorías? SÍ NO

5. ¿El ayuno es siempre benéfico para la salud? SÍ NO

6. ¿Una dieta depurativa implicar realizar ayunos? SÍ NO

7. ¿La bardana es una planta con efectos depurativos? SÍ NO

8. ¿Una dieta depurativa debe contener huevos y leche? SÍ NO

9. ¿Se pueden comer las patatas con brotes? SÍ NO

10. ¿El diente de león se puede comer como una ensalada? SÍ NO

RESPUESTAS A LOS EJERCICIOS DE AUTOEVALUACIÓN

1. SÍ
2. NO, con frecuencia necesitan la acción del calor para poderse digerir.
3. NO, pues son imprescindibles para un aporte energético rápido.
4. NO, pues sin calorías no hay vida.
5. NO, y solamente lo deberían practicar personas fuertes.
6. NO, pues se pueden emplear plantas medicinales y una alimentación adecuada.
7. SÍ, y se considera una de las más eficaces.
8. NO, pues aunque muy nutritivos, no son adecuados para estas dietas tan especiales.
9. NO, aunque si son muy pequeños bastaría con eliminarlos. No obstante, le recomendamos que no compre patatas así.
10. SÍ, pues se trata de una verdura saludable y muy nutritiva. Habitualmente se emplea solamente como infusión.

EXAMEN

1. ¿Cuáles son los secretos para lograr que un plato se digiera sin problemas?
2. ¿Cuáles son los aspectos más negativos de la dieta del doctor Atkins?
3. ¿Qué persigue básicamente la dieta de la clínica Mayo?
4. ¿Por qué es perjudicial una dieta con no más de 800 calorías diarias?
5. ¿Cuáles son las ventajas de la dieta disociada?
6. ¿Y las desventajas?
7. ¿Cuáles son los principales inconvenientes de una dieta baja en calorías?
8. ¿Qué pretende la dieta macrobiótica?
9. ¿Qué se entiende por una dieta depurativa?
10. ¿Por qué son criticados los vegetarianos?

37317493R00236

Printed in Great Britain
by Amazon